대한민국
미래경제
보 고 서

금융의 미래

대 한 민 국
미 래 경 제
보 고 서

The Future of Finance

금융의 미래

'파이낸셜 퍼스트 무버'만 살아남는다

| 매일경제 미래경제보고서팀 지음 |

매일경제신문사

글로벌 금융은 그동안 익숙했던 서비스와 상품, 관행들이 송두리째 바뀌는 패러다임 변화에 직면해 있다. 지급결제와 송금, 대출과 투자, 자산운용 등 과거에는 금융회사들의 전유물이었던 서비스들을 고객들이 온라인 플랫폼에서 직접 주도하는 미래금융의 시대가 개막한 것이다. 고객들은 단순하게 서비스를 받는 소비자가 아니라 금융의 주체로 부상하고 있다. 자신이 원하는 만큼, 그리고 자신이 원하는 금리로 돈을 모을 수 있고, 돈을 빌려줄 수도 있다. 기존 금융회사들이 제공하던 서비스를 온라인 개방형 플랫폼을 통해 소비자들이 직접 담당하게 된 것이다. IT 기술과 금융을 결합한 핀테크FinTech 혁명이 촉발한 변화의 모습들이다.

본 보고서는 우리나라가 금융 선도자Financial First Mover로 변신하지 않으면 시시각각 바뀌는 글로벌 시장 패러다임에서 낙오할 수 있다는 냉철한 위기의식에서 출발했다. 소셜네트워크서비스SNS를 연계한 핀테크 금융회사들의 눈부신 성장, 온라인 플랫폼과의 교류를 생활의 일부로 받아들이는 젊은 층 소비자들의 출현 속에서 한국 금융의 현주소를 여과 없이 분석하고 금융 강국 도약을 위한 미래 어젠다를 제시한다.

제1장은 핀테크 혁명이 초래한 미래금융의 변화를 다룬다. 오프라인 지점에 기반을 둔 은행의 영업이 효력을 상실한다는 점에서 본 보고서는 '뱅크의 종언Bankless'을 선언한다. 주요 도시 핵심 상권에 위치했던 은행들의 영업지점이 미래 시대에는 지하철역 매점이나 편의점 구석에 위치한 초라한 존재로 전락한다. 음반회사나 서점들이 빠르게 변하는 시대의 흐름 속에서 역사의 뒤안길로 사라지고 있듯이 은행 지점들도 비슷한 경로를 밟게 된다는 예측이다. 그리고 2023년 세계 최대의 디지털기업인 아마존베이(가상기업)를 등장시켜 미래금융 서비스가 어떤 모습으로 변해 갈지를 미리 전망해 본다.

제2장은 현재 글로벌 각국에서 진행 중인 새로운 서비스의 현장으로 독자들을 안내한다. 빅데이터와 SNS를 앞세운 새로운 서비스와 상품들, 웨어러블 금융과 로보어드바이저의 자산관리 현황을 자세하게 들여다본다. 유통, 통신, IT 등 비非금융회사의 금융산업 침공이 두드러진 가운데 기존 은행과 보험, 증권과 자산운용 회사들은 '변하지 않으면 망한다'는 생존의 기로로 내몰리고

있다. 본 보고서는 금융산업의 경계가 허물어진다는 의미에서 이를 '빅블러Big Blur' 혁명이라고 지칭한다.

제3장은 우리나라 금융이 직면한 도전과 미래 비전을 제시한다. 금융 선도자만 살아남는 시대에 어떤 전략과 대책이 필요한지 금융시장 전문가들의 견해를 토대로 미래 전략을 논의하고 생존의 해법을 찾는다. 한국의 금융은 아쉽게도 '글로벌 변방'에 머물고 있다. 외환위기 이후 역대 정권이 '금융 강국'의 기치를 내걸고 다양한 개혁을 추진해 왔지만 대마불사와 보신주의의 그릇된 관행, 시대착오적 칸막이 규제, 낙하산 인사와 관치금융이 우리 금융산업의 발목을 잡아 왔기 때문이다. 금융의 부진과 침체는 무역 1조 달러 클럽 가입을 이끈 우리나라 제조업의 눈부신 약진과 더욱 대조를 이룬다.

하지만 희망은 있다. 정주영 신화, 이병철 신화를 만들었던 것처럼, 우리나라는 '금융 강국 신화'를 얼마든지 써 나갈 수 있는 창의력과 도전정신 DNA를 지니고 있다. 소비자도 스스로 변해야 한다. 미래금융 시대의 소비자는 서비스를 받는 수동적인 존재가 아니라 상품을 개발하고 네트워크를 만드는 능동적인 주체다.

글로벌 금융의 변방에 머물며 외국 투기자본의 놀이터로 전락하느냐, 제조업에 이은 제2의 금융 강국 신화를 만들며 국민소득 5만 달러 시대로 진입하느냐. 우리나라 금융은 지금 그 선택의 중대한 기로에 서 있다. 변화의 물결을 뒤따라가기만 해서는 약육

강식의 글로벌 시대, 시시각각 변하는 초超경쟁 시대에 승자로 부
상할 수 없다. 미래 도약을 위한 한국 금융의 새로운 도전은 이미
시작됐다.

CONTENTS

CHAPTER 03 한국 금융의 도전과 선택

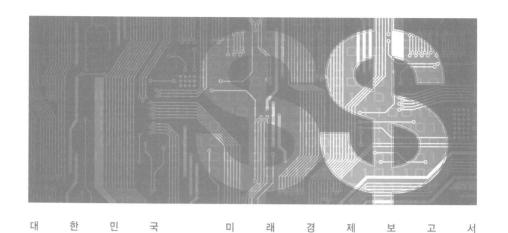

CHAPTER 01

뱅크리스
시대가 온다

핀테크 혁명이 촉발한
뱅크의 종언

2023년 7월 서울. 가정주부인 김미래(가칭) 씨는 스마트폰으로 아마존베이(가상기업) 사이트에 접속해 중국 온라인 쇼핑몰에서 커피 세트를 구입한 뒤 AB페이_{아마존베이의 지급결제 서비스}로 송금을 완료한다. 아마존과 이베이가 합병해 탄생한 아마존베이_{Amazon+eBay}는 은행, 보험, 카드, 증권 등 금융 서비스는 물론이고 소매 유통과 통신을 자회사로 거느린 세계 최대의 디지털기업이다.

온라인 쇼핑을 마친 김미래 씨는 아마존베이가 제공하는 P2P_{개인 간 금융 거래} 서비스에 접속해 '가정주부 대출'을 클릭하고 AB코인_{아마존베이의 가상화폐} 1,000코인을 디지털 계좌에 저장한다. AB코인은 아마존베이 산하 금융회사에서 투자, 송금, 이체 등 금융 서비스를 자유자재로 이용할 수 있는 사이버머니다. 인공지능_{AI}을 지닌 아마존베이 로보 자산관리 서비스는 "AB코인 대출이 4만 코인을 넘었다"는 문자 메시지를 보내고 "현재 보유 중인 주식 가운데 프랑스 알스톰 주식이 매도 적기"라며 자산 포트폴리오에 대해 조언한다.

김미래 씨의 부모 세대가 대출을 받거나 주식 거래를 할 때 이용했던 은행과 증권 등 금융회사들의 오프라인 영업점포는 대부분 사라지고 지하철역 매점이나 편의점 한구석에 소규모 무인점포로 입점해 있을 뿐이다.

금융, 쇼핑, 통신, 소셜네트워크서비스sns를 결합한 온라인 플랫폼기업이 자유롭게 국경을 넘나들며 지급결제, 대출, 송금, 투자, 자산관리, 환전 등 기존의 금융 서비스를 차례차례 대체해 나간다. 14세기 이탈리아에서 태동한 은행이탈리아어 'Banko'에서 유래들의 길거리 영업지점이 사라진다는 의미에서 '은행의 종말Bankless'이다. 실물화폐와 신용카드는 디지털 공간에서 가상화폐로 대체되고 개인 소비자들의 자산관리도 인공지능을 지닌 자문로봇이 담당한다.

유럽의 금융인 네트워크인 파이낸셜서비스클럽의 설립자이자 의장인 크리스 스키너는 "이탈리아에서 처음 태동한 근대적 의미의 은행은 디지털 기반으로 이동하기 시작했고 앞으로 50년 뒤에는 은행의 전통적인 영업 방식이 종말을 고하는 시대가 온다"고 단언했다. 금융 거래를 위한 오프라인 영업지점과 고객들과 상호작용을 위해 존재했던 물리적인 접점은 미래 시대에 더 이상 존재하지 않는다. 은행의 영역을 허무는 금융·정보통신기술ICT 융합 혁명으로 지금껏 아무도 상상하지 못했던 금융 신세계가 열린다는 예측이다.

가정주부 김미래 씨가 이름도 생소한 외국 디지털기업에서 대출을 받을 수 있는 것도 은행들과 전혀 다른 금융 거래 시스템이 작동하기 때문이다. 아마존베이는 일정 한도를 정해 놓고 소액 대출을 실시하는데 과거 은행들이 평가 기준으로 삼았던 소득 수준이나 자산 규모 대신에 '얼마나 갚을 의지가 있는가'라는 새로운 평가 기준을 제시한다.

아마존베이는 SNS 활동과 온라인 쇼핑 행태, 인터넷 브라우저 등 온라인 빅데이터를 분석해서 개인의 성향을 종합적으로 평가한 뒤 대출을 결정한다. 개인 대출도 기존의 금융회사가 아니라 전 세계에 산재해 있는 아마존베이 고객들이 스스로 투자자가 돼 자금을 빌려주는 P2P 방식이 적용된다. 가정주부는 물론이고 대학생이나 사회 초년생, 창업기업 등 기존 금융권에서 대출을 받기 어려웠던 고객들이 자유자재로 대출을 받는 것도 이 같은 시스템이 작동하기 때문이다.

미국의 투자자문회사인 모틀리풀은 "현재의 은행 지점은 과거 서점과 음반가게가 거쳤던 길을 가고 있다"고 단언했다. 동네 곳곳에 즐비했던 서점과 음반가게들은 인터넷 시대가 도래하면서 빠른 속도로 자취를 감췄다. 고객들이 온라인을 통해 직접 거래

모바일과 핀테크 발달로 오프라인 영업에 기반을 둔 기존 은행들의 영업방식은 큰 도전과 위협에 직면해 있다.
사진은 우리나라 금융중심지인 여의도의 야경. 　　　　　　　　　　　　　　　　사진: 매경DB

를 하고 음원을 다운로드하면서 존재가치를 상실했기 때문이다.

기존 금융회사들이 빠르게 시장을 잠식당하는 것은 단순한 미래 예측이 아니다. 글로벌 시장 곳곳에서는 이미 이 같은 징후들이 나타나고 있다. 금융 개혁이 가장 빠르게 진행되고 있는 유럽에서는 최근 4년간 2만 개에 달하는 은행 지점이 문을 닫았다. 2009년 글로벌 금융위기 이후 약 10%의 은행 지점들이 사라졌으며 이 같은 추세는 더욱 빨라지고 있다. 영국의 경우 1990년 이후 약 7,500개의 은행 지점들이 문을 닫았는데 이는 영국 내 전체 은행 지점의 약 40%에 달하는 숫자다. 덴마크는 최근 4년간 전체 은행 지점의 3분의 1이, 네덜란드는 4분의 1이 각각 문을 닫았다. 스페인도 2009년 이후 은행 지점 숫자가 17% 감소했고 독일은 8%의 은행 지점들이 줄었다.

글로벌 컨설팅회사인 액센추어는 '2020 은행산업 보고서'를 통해 비은행기관들의 금융업 진출로 미국 내 은행들의 매출이 2015년 대비 5년 뒤인 2020년에는 3분의 1가량 줄어들 것으로 전망했다. 특히 미국 대형 은행들 수입의 약 25%를 차지하는 결제시장에서 이베이가 운영하는 페이팔을 비롯한 비금융회사들의 시장 잠식이 가장 심화될 것으로 예측됐다.

은행 영업지점의 소멸과 함께 나타나는 가장 큰 변화 중 하나는 전통적인 금융 수수료 체계가 붕괴되고 있다는 점이다. 영국의 핀테크 스타트업 기업인 트랜스퍼와이즈는 P2P 금융을 활용해 약 5%에 달하는 영국 시중은행들의 해외 송금 수수료를 10분의 1 수준으로 낮췄다. 이 회사는 2011년 창업한 이후 연평균 10억 달러(약 1조 2,000억 원) 이상의 거래가 이뤄지며 기존 금융회

은행의 진화와 쇠퇴

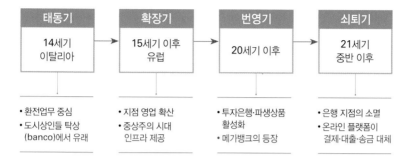

태동기	확장기	번영기	쇠퇴기
14세기 이탈리아	15세기 이후 유럽	20세기 이후	21세기 중반 이후
• 환전업무 중심 • 도시상인들 탁상 (banco)에서 유래	• 지점 영업 확산 • 중상주의 시대 인프라 제공	• 투자은행·파생상품 활성화 • 메가뱅크의 등장	• 은행 지점의 소멸 • 온라인 플랫폼이 결제·대출·송금 대체

사들의 송금 서비스를 잠식하고 있다.

금융회사의 고객 접점Front Office이 디지털화되면서 금융 서비스도 비대면, 온라인 거래로 속속 전환되고 있다. 고객이 느끼는 금융 서비스 품질이 과거에는 점포의 분위기, 금융회사 직원의 친절도 등으로 결정됐지만 앞으로는 웹브라우저 화면의 구성이나 디자인, 마우스 클릭 이용의 편의성에 따라 결정되는 시대가 찾아온다. 과거 핵심 상권에서 1층 건물 중심부에 위치했던 금융회사의 오프라인 지점들은 지하철역 매점이나 편의점 한구석으로 밀려나 금융회사 직원들과 원격으로 상담을 하거나 상담 직원의 방문을 요청하는 콜센터 기능을 담당한다. 그 대신 금융 거래의 90% 이상은 고객들에 의해 직접 처리된다.

소비자들에게 익숙한 1세대 온라인 뱅킹은 오프라인 금융 서비스를 인터넷 공간으로 옮겨 온 것이다. 이에 비해 핀테크발 패러다임 변화는 ICT가 금융 서비스의 종속변수가 아니라 주도적인 변수로 산업 전체의 판을 바꾸는 것을 의미한다. 온라인 뱅킹이 기존 금융 서비스의 효율을 높이는 조력자였다면, 핀테크는 기존의 서비스 체계를 와해시키는 파괴적 혁신자(영국 무역투자청의 정의)라고 볼 수 있다.

2015년 등장한 핀테크 기술은 '와해성 기술'이라는 특징을 지닌다. 와해성 기술이란 처음에는 완성도가 낮아서 시장이 요구하는 성능을 개발하기까지 시간이 걸리지만 개선되는 순간 급격하게 기존 시장을 잠식하거나 새로운 시장을 창출하는 기술을 지칭하는 용어다. 핀테크발 금융 혁명이 디 위협적인 이유는 창조적인 아이디어를 앞세워 지급결제, 자산관리, P2P 대출, 송금과 환전 등 모든 금융 분야에서 소비자들이 전혀 예상하지 못했던 새로운 차원의 금융 서비스를 가능하게 만든다는 점이다.

미래학자 토마스 프레이는 〈금융산업이 죽는 날〉이라는 논문에서 "2037년까지 체이스, 씨티그룹, 골드만삭스, 웰스파고가 차례로 문을 닫는다. 미래 초연결 사회는 소비자들이 스스로 네트워크를 지니고 스마트폰과 모바일 웨어러블이 은행 영업지점과 신용카드, 지갑, 대출과 보험 에이전트, 주식시장을 모두 대체해 나갈 것"이라고 예측했다.

개방형 플랫폼과 P2P가
주도하는 미래금융

세계는 비행기와 철도, 배로 촘촘하게 연결되면서 24시간 이동이 가능해졌고 국경도 사실상 무의미해졌다. 교통수단의 정차와 승객의 탑승이 이뤄지는 곳이 바로 공항이나 터미널과 같은 플랫폼Platform이다. 플랫폼을 중심으로 과거에는 전혀 예상하지 못했던 인류의 이동, 산업과 물류의 발전이 이뤄져 왔다.

미래 금융시장을 지배하는 것도 바로 이 플랫폼이다. 첨단 ICT 기술이 창조한 플랫폼은 온라인 네트워크를 통해서 새로운 비즈니스가 탄생할 수 있는 패러다임 변화를 촉발한다. 온라인 공간에서 플랫폼은 누구나 참여할 수 있는 네트워크다. 마이크로소프트MS의 윈도우, 애플의 iOS와 구글의 안드로이드, 카카오의 카카오톡은 이미 우리가 잘 알고 있는 플랫폼들이다. 플랫폼 경제에서 사업자들은 배타적인 기술력과 시장 선점을 앞세워 다수의 고

핀테크가 은행의 영역을 가장 빨리 잠식하고 있는 분야는 지급결제 분야다. 사진은 모바일 뱅킹을 이용해 돈을 인출하는 장면.

객들을 끌어들이는 이른바 '네트워크 효과'를 누린다. 고객들은 플랫폼을 활용해 네트워크를 구축하고 낮은 비용으로 상품을 사고팔며 플랫폼이 생활의 일부가 된다.

플랫폼이 무시운 이유는 개방과 협업을 통해 비즈니스 기반을 통째로 뒤바꿀 수 있는 잠재력을 보유하고 있기 때문이다. 플랫폼이 '생활 밀착형'으로 자리를 잡을 경우 폭발력이 더욱 커진다. 집에서 식사를 하고 대중교통을 이용하는 것처럼 일상생활에서 없어서는 안 될 존재가 되는 것이다. 동시에 새로운 수익 모델이 등장하며 비즈니스 생태계가 바뀌고 기존 회사들은 설자리를 잃고 도태한다.

미국의 이베이가 운영하는 벤모Venmo는 젊은 층 고객을 집중 공략해 성공한 지인 기반 무료 송금 플랫폼이다. 전화번호, 이메일, 페이스북에 등록된 지인들끼리 간편하게 돈을 주고받을 수 있는 개방형 플랫폼이다. 미국의 젊은이들은 온라인으로 돈을 계좌이체 하라는 말 대신 "벤모로 보내Venmo me"라는 표현을 일상적으로 사용한다.

벤모 서비스는 SNS와 결합해 더욱 폭발적인 성장을 거듭하고 있다. 벤모 사용 내역을 '공개'로 설정하면 페이스북을 통해 지인들과 이체 내역을 공유하거나 문자 메시지를 주고받을 수도 있다. 우리나라 젊은이들이 같이 식사하는 모습을 스마트폰 카메라로 찍어 지인들과 공유하는 것처럼 벤모에서는 송금 플랫폼을 통해 결제 내역을 공개함으로써 독창적인 커뮤니티를 만들어 가고 있는 것이다.

세계 최대 전자상거래기업인 아마존도 자사의 데이터베이스를 외부에 개방하고 다른 웹사이트의 가격과 제품, 설명과 같은 정보를 고객들에게 제공한다. 이를 통해 고객들이 새로운 고객들을 끌어들이는 확대 재생산 구조를 만들어 냄으로써 글로벌 유통산업 전체로 지배력을 확장하는 데 성공했다.

금융 분야에서 플랫폼 비즈니스가 적용되는 대표적인 사례는 최근 크게 늘어나고 있는 P2PPeer to Peer 대출이다. P2P 대출은 기존 금융기관(중개기관)을 거치지 않고 플랫폼을 통해 개인 간에 대출과 차입이 이뤄지고 기업에 자금을 제공하는 개방형 디지털 금융 거래다. 다수의 투자자들이 P2P 플랫폼업체에 계좌를 개설한 뒤 투자금액을 이체(예를 들어 만기 1~5년 선택)하면 P2P업체가 이 자금을 갖고 대출 희망자를 자체적으로 선정해 배분하는 사업 구조다. 또 투자자들이 자금을 조기에 회수할 사정이 생기면 업체들이 투자금의 일정 부분을 수수료로 받고 매각을 대행해 주기도 한다.

미국에서는 렌딩클럽, 프로스퍼, 페이오프 등 P2P업체들이 온라인 대출시장에서 빠른 성장을 거듭하며 기존 은행의 사업 영역을 잠식하고 있다. 선발업체인 렌딩클럽은 홈페이지에서 대출 신청서를 작성한 개인들 가운데 대출 가능자를 선발하고 이들을 다시 A~G단계의 신용등급으로 분류해 온라인 플랫폼에 올려놓는다. 개인 투자자들은 대출 신청자들의 명단을 보고 자신들이 원하는 사람에게 투자를 하고 신용등급에 따라 1~3%에 해당하는 금액을 수수료로 취득하는 사업 구조다.

미국에서는 200여 개 지방은행들이 렌딩클럽과 전략적 제휴를 체결했다. 하지만 주택담보대출이나 고객신용대출 등 지방은행의 주요 비즈니스가 영업 점포가 아닌 온라인 플랫폼으로 이뤄지면서 소비자 대출이 감소하고 자사 홈페이지를 통한 고객과의 접촉채널이 지속적으로 줄어드는 상황에 직면해 있다. 미래학자 토마스 프레이는 오는 2020년 미국에서 대출 비즈니스의 약 30%를

온라인 플랫폼에 기반한 미래금융 서비스

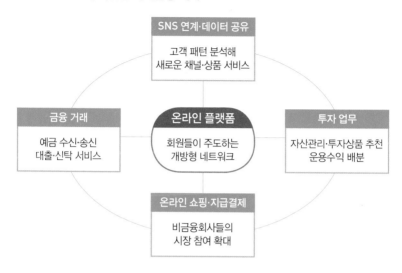

P2P업체들이 담당할 것으로 전망했다. 기존 은행들은 그만큼 시장을 잠식당하는 셈이다.

실제로 미국의 P2P 금융시장 규모는 렌딩클럽이 탄생한 2007년 8,500만 달러(약 1,000억 원)에 불과했지만 2014년에는 55억 달러(약 6조 7,000억 원)로 빠른 성장세를 기록했다. P2P업체들이 투자자 보호를 강화하기 위해 미국 증권거래위원회SEC의 공식 인가를 받기 시작하면서 소비자들의 신뢰도 한층 더 빠르게 커지고 있다.

유럽에서 가장 빠른 속도로 은행 지점이 소멸되고 있는 영국에서 P2P 금융이 비약적으로 성장하고 있는 것도 주목할 만한 변화다. 영국의 P2P 금융 규모는 2010년 말 1억 1,000만 파운드(약 1,900억 원)에 불과했지만 2014년 말 21억 8,000만 파운드(약 3조 8,000억 원)로 증가하며 불과 4년 만에 20배 이상 성장했다.

영국의 P2P 서비스는 15만 명에 달하는 고정 고객과 10만 5,000명에 달하는 투자자들이 참여하고 있다. 특히 영국에서는 최근 온라인 개인 간 대출뿐 아니라 기업 대출이나 매출채권할인 등 이른바 P2B Peer to Business 금융도 빠르게 성장하고 있다. P2B 금융이란 개인 투자자가 온라인 플랫폼을 통해 은행과 같은 중개기관 없이 기업에 자금을 제공하는 금융 거래다.

영국의 경우 2012년 이후 P2B 대출이 10배 이상 늘어나는 동안 일반 금융기관을 통한 중소, 중견기업 대출은 연평균 5%씩 감소세를 지속해 왔다. 2011년 설립된 영국의 마켓인보이스는 개인 투자자들의 자금을 유치해 중소, 중견기업에 자금 조달을 해 주는 인터넷 금융회사다. 설립 이후 4년 동안 거래금액이 80배가량 증가히는 등 빠른 성장세를 기록하고 있으며 2015년 말 기준 45일 이상 매출채권 연체율이 0.7%에 불과할 정도로 양호한 건전성을 유지하고 있다.

자금 수요가 있는 개인이나 기업에는 조달비용을 줄여 주고 투자자들에게는 저위험·고수익이라는 새로운 기회를 제공하는 P2P와 P2B 사업 모델은 앞으로 기존 은행의 대출사업을 빠른 속도로 잠식해 나갈 것이다. 중국에서도 2010년 1억 1,000만 달러

(약 1,300억 원)에 불과했던 P2P 대출이 2014년 말 413억 1,000만 달러(약 50조 3,700억 원)에 달하는 등 빠른 성장세를 기록하고 있다.

플랫폼의 성공 요인은 고객들이 얼마나 다양한 장소에서, 얼마나 빠르고 편리하고 안전하게 서비스를 받을 수 있느냐에 달려 있다. 네트워크에 참가하는 고객들이 늘어날수록 이 같은 요인을 충족할 수 있는 가능성은 그만큼 증가한다. 플랫폼의 핵심은 개방과 공유이다. 초연결 사회로 진화하고 그곳에서 비즈니스 기회를 찾기 위해서는 개방형 생태계 구축이 필수적인 과제다.

플랫폼 비즈니스의 가장 큰 걸림돌은 국가별 규제다. 중국의 알리바바 자회사이자 온라인 금융결제 서비스회사인 알리페이의 경우 전 세계 8억 명 고객이 회원으로 가입하면서 '해외 직구직구매'의 새로운 트렌드로 자리를 잡았다. 하지만 우리나라는 공인인증서를 별도로 설치해야 하는 규제 때문에 본격적인 도입이 지연됐다.

2014년 5월 전자금융감독규정 시행세칙을 통해 공인인증서 사용 의무가 폐지됐고 이후 500개 이상의 온라인 사이트가 뒤늦게 알리페이를 도입하기 시작했다. 전자메일을 통한 개인 간 송금 서비스인 스퀘어캐시Square Cash도 2013년부터 서비스를 시작했지만 우리나라는 은행, 카드회사, 증권사 등만 금융 서비스를 할 수 있다는 전자금융거래법 때문에 아직 도입되지 못하고 있다.

미래 글로벌 1위 기업
아마존베이의 금융 서비스

개방형 플랫폼이 주도하는 미래 시대의 최대 글로벌 기업은 아마존베이다. 세계적 미래학자인 피터 슈워츠 글로벌비즈니스네트워크GBN 회장이 50년 뒤 세계 1위 기업으로 설정한 가상기업이다. 2023년 아마존과 이베이가 합병해 탄생한 이 기업은 가상 쇼핑센터Virtual Shopping Center에서 첨단 디지털 쇼핑 도구를 이용하는 고객들에게 은행, 신용카드, 보험, 증권 등 각 분야별로 맞춤형 금융 서비스를 제공한다.

아마존베이의 금융 서비스는 최첨단 IT 기술과 유통 네트워크를 기반으로 글로벌 시장에서 경쟁력 있는 은행, 보험, 신용카드, 증권, 자산관리 회사들을 온라인 네트워크로 합병했기 때문에 가능하다. 아마존베이는 출범 이후 3년 만에 글로벌 시장에서 10억 명에 달하는 온라인 회원을 확보했고 최첨단 빅데이터 분석을 통해 미래 잠재고객에 대한 완벽한 정보까지 보유하고 있다.

아마존베이 고객들은 스마트폰 지급결제 서비스인 AB페이(가칭)를 통해 별도의 신용카드 없이도 온라인 쇼핑몰과 연계된 전 세계 유통매장에서 365일 24시간 상품을 구입할 수 있다. 지급결제는 물론이고 아마존베이의 다른 고객들로부터 돈을 대출받는 P2P 서비스와 온라인 계좌에 입금한 돈을 수수료 지불 없이 이체하는 송금 서비스 기능도 갖추고 있다.

고객들은 개방형 플랫폼에서 AB코인이라는 가상화폐를 사용한다. 기존 화폐와 달리 중앙은행이나 금융기관 없이 개인 간 거래가 가능할 뿐 아니라 아마존베이와 연계된 세계 모든 인터넷 공간에서 전혀 환전할 필요도 없이 자유자재로 사용할 수 있다. 아마존베이가 지배하는 미래금융 시대는 실물화폐를 대신해 가상 디지털화폐 사용이 기하급수적으로 증가한다.

2009년 첫 발행을 시작한 비트코인에 이어 제2, 제3의 비트코인이 등장하며 실물화폐를 사실상 무용지물로 만들고 지급결제 중개기관은 이를 받아들이는 플랫폼으로 진화, 발전해 나간다. 니시널 가상화폐는 중앙은행이나 회사, 개인이 발행하는 것이 아니라 전 세계 누구나 온라인 공간에서 다자간 파일 공유 기술을 통해 익명으로 거래하게 된다.

금융과 유통이 핀테크를 기반으로 융합할 경우 새로운 부가가치를 창출하는 고객 서비스가 무궁무진하게 늘어난다. 은행 이외에 보험이나 증권, 카드 산업 분야에서도 ICT를 활용한 신상품 개발이 봇물처럼 이뤄지고 이들 상품은 국경을 초월해 다국적 시민을 대상으로 온라인 공간에서 서비스에 나선다.

첨단 기술을 앞세운 개방형 플랫폼의 금융시장 잠식은 이미 세계 곳곳에서 진행되고 있다. 초기 단계에서는 점진적 변화이지만 시간이 흐를수록 파괴적 변화로 변모할 것이다. 오프라인 영업지점을 통한 금융회사들의 기존 비즈니스가 종말을 고하는 순간이 눈앞에 다가온 것이다.

독일 피도르는 2009년 은행 허가를 받았지만 기존의 은행들과는 전혀 다른 비즈니스 모델로 새로운 영역을 개척하고 있다. 오프라인 지점을 개설하지 않고 자체 웹 사이트와 페이스북, 유튜브, 트위터 등 SNS를 활용해 기존 은행들이 전혀 상상도 못 했던 비즈니스 모델을 개발해 내는 데 성공했다. 예를 들어 신규 고객이 페이스북 커넥트를 통해 계좌를 신청할 수 있으며 페이스북의 '좋아요 like' 숫자가 올라가면 예금 금리도 상승하는 모델을 도입했다.

고객들이 소비는 물론 생산, 판매에도 직접 참여하는 디지털 시대의 소비자인 프로슈머로 활동하는 개방형 플랫폼을 지녔다는 점도 기존 은행들과 다른 차별화 포인트다. 고객이 질문을 하거나 다른 사용자에게 조언을 할 경우, 신상품을 제안해 커뮤니티에서 선정될 경우 각각 다른 보너스를 주는 인센티브 제도를

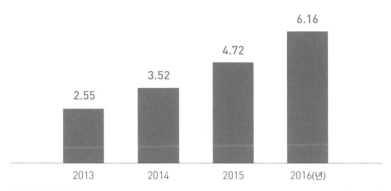

글로벌 모바일 결제 시장 규모

(단위: 1,000억 달러)

6.16

4.72

3.52

2.55

2013   2014   2015   2016(년)

* 2015·2016년은 전망

자료: 가트너

운영한다. 회사 측은 인터넷 뱅킹과 SNS 활동을 통해 고객들에 대한 정보를 최대한 많이 확보하고 분석하는 것이 가능하며 P2P 금융으로 리스크 분산과 관리를 촉진하는 것도 수월해진다.

중국 알리바바는 온라인 커머스기업이 금융시장을 장악하고 나선 좋은 사례다. 알리바바는 자사의 플랫폼을 통해 거래하는 고객들의 지급결제 서비스를 위해 2004년 알리페이를 출시한 이후 10년 동안 지급결제(알리페이), 대출(알리바바파이낸셜), 투자(위어바오), 보험(중안온라인보험), 은행(인터넷은행)으로 사업 지평을 넓히며 금융 서비스를 진화시켜 왔다.

인구 4,500만 명을 지닌 아프리카 중동부 케냐에서도 엠페사M-pesa를 앞세운 금융 혁명이 진행되고 있다. 엠페사는 케냐의 통신회사인 사파리콤이 개발한 모바일 결제 시스템인데 2015년 말 기준 케냐 성인 인구의 80% 이상이 은행 지점이 아니라 엠페사를 통해 금융 거래를 하고 있다. 이 같은 금융 혁명은 역설적으로 케냐에서 은행 설립과 진출이 늦었던 반면 휴대폰 가입은 급속도로 늘어났기 때문에 가능했다. 한마디로 모바일 혁명이 금융 혁명을 선도한 셈이다. 아프리카 대륙에서 은행 계좌를 갖고 있는 사람은 25%인 반면 휴대폰을 지닌 사람은 80%에 달한다(AP통신 2015년 3월 조사).

일반 고객들만 패러다임 변화에 직면한 것이 아니다. 미래 시대는 기업들도 은행이 아니라 개방형 온라인 플랫폼을 통해 자금을 조달한다. 개방형 플랫폼은 개인이나 소상공인에게 대출 서비스를 제공하고 생산자들이 다수의 고객으로부터 투자를 받을 수 있도록 회원들을 연계해 준다.

프랑스 최대 은행그룹인 BNP파리바는 2013년 인터넷전문은행(헬로뱅크)을 출범시켰다. 기존 은행에서 필요했던 계좌번호 대신에 스마트폰 전화번호나 QR코드로 송금이 가능하고, 은행이 제공하는 모든 금융 서비스를 모바일에서 받을 수 있다. 은행 영업지점 창구직원들이 담당했던 금융 서비스 문의는 스마트폰에서 트위터로 365일 24시간 이용할 수 있다. 국내에서도 2016년부터 인터넷전문은행이 도입된다. 앞으로는 국내 영업지점을 거치지 않더라도 세계 어디에서든 금융 서비스를 받을 수 있고, 소비자들이 모바일로 외국 은행에 접속해 그 은행으로부터 저금리에 대출을 받을 수 있는 새로운 시대가 도래하는 것이다.

미래 시대에는 은행이 사라진다. 좀 더 구체적으로 말하면 오
프라인 지점에서 고객들이 일방적으로 서비스를 받는 사업 방식
은 막을 내리고 온라인 플랫폼을 통해 개인 고객들이 스스로 금
융 거래를 하는 시대다. 인류는 통신과 콘텐츠 산업에서도 불연
속적인 변화 속에 산업 전체의 패러다임 변화가 촉발된 사례를
경험한 바 있다. 디지털 기술을 활용한 융합 전략으로 신생기업
들이 글로벌 시장을 신속하게 장악하면서 산업 자체의 패러다임
을 바꾼 사례들이다.

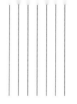

디지털 컨버전스와
패러다임의 전환

미래 금융시장에서 고객들은 단순하게 서비스를 받는 소비자가 아니라 금융의 주체로 부상한다. 자신이 원하는 만큼, 그리고 자신이 원하는 이자율로 돈을 모을 수 있고, 돈을 빌려줄 수도 있다. 기존 금융회사들이 하던 역할을 핀테크가 구축한 개방형 플랫폼 위에서 소비자들이 직접 담당하는 것이다. 정유신 핀테크지원센터장(서강대 교수)은 "소비자들이 온라인 플랫폼에서 만나 소비자를 위한, 소비자들에 의한, 소비자들의 새로운 금융 생태계를 형성한다"고 이 같은 상황을 표현했다.

이러한 패러다임 전환이 이뤄지는 것은 디지털 컨버전스(융합)를 통해 과거에는 전혀 상상하지 못했던 새로운 사업과 제품, 비즈니스 모델이 만들어지기 때문이다. 디지털 컨버전스는 '기존 제품의 디지털화→디지털 제품 간의 융합→네트워크로의 통합'

금융산업 온라인 서비스의 진화

구분	1세대	2세대
운영 주체	은행 등 금융회사	핀테크기업, IT·유통기업
주력 기반	인터넷, 스마트폰	온라인 플랫폼, SNS
사업 모델	금융회사에 기반한 대출, 예금, 계좌이체	금융회사를 거치지 않고 회원들을 통한 온라인 거래
주요 사례	찰스슈왑(미국), 소니뱅크(일본), 도이치뱅크(독일)	벤모(미국), 렌딩클럽(미국), 트랜스퍼와이즈(영국), 위어바오(중국)

이라는 3단계 발전 과정을 거치면서 진화한다. 이를 통해 새로운 사업, 제품, 비즈니스 모델이 생겨나게 되고 소비자들의 생활이나 문화를 바꾸는 패러다임의 전환을 초래한다.

1984~1998년 씨티은행 회장을 역임했던 존 리드는 재임 시절 "뱅킹Banking은 단지 비트와 바이트일 뿐이다"라는 말을 남기며 금융산업의 주축을 이루는 은행이 디지털화라는 거대한 패러다임 변화에 직면할 것으로 예측했다.

국내 금융회사들은 이 같은 패러다임 전환 속에서 생존하느냐, 도태하느냐의 새로운 갈림길에 서게 된다. 미래 시대에는 외국 금융회사들의 국내 활동을 제한했던 각국의 규제들이 점진적으로 폐지되고 ICT 기술로 무장한 다국적 핀테크기업들이 국내 시장에 속속 진출한다. 이들은 점포 영업을 앞세웠던 기존 금융회사들을 대신해서 고객들의 빅데이터 분석과 신용정보 파악,

SNS, 비대면 거래를 앞세운 새로운 서비스 모델들을 속속 도입하며 이에 대응하지 못한 국내 금융회사들의 몰락을 가속화한다.

미래 시대 글로벌 1위 기업인 아마존베이는 한국 고객들도 자유롭게 자사의 금융, 쇼핑 서비스를 받을 수 있도록 규제 철폐를 요구해 올 것이다. 글로벌 시장의 규제 완화 트렌드를 감안하면 우리 정부도 계속 규제의 보호막을 치고 있기는 어렵다. 이렇게 금융의 빗장이 하나둘씩 열리는 가운데 한국 소비자들은 개방형 플랫폼을 지닌 해외 금융사들과 생활 밀착형 서비스를 앞세운 핀테크기업들을 자신들의 금융 거래 파트너로 선택할 것이다. 국내 금융기관보다 더 저렴하게 돈을 빌릴 수 있고, 더 간편하게 물건을 구입하려면 다국적 기업들이 운영하는 개방형 플랫폼을 선택하는 것이 가장 합리적이기 때문이다. 중국의 알리바바와 미국의 페이팔 등 글로벌 핀테크기업들은 이미 국내 금융기관과의 제휴를 통해 한국에 진출했거나 진출을 서두르고 있다.

미국과 유럽 등 선진국에서는 금융산업이 단순하게 실물을 지원하는 기능에서 벗어나 리스크 관리, 투자역량 확대, 정보 창출 등 부가적 서비스 확대에 주력하며 주요 산업으로 육성, 발전돼 왔다. 일반 기업들의 탈금융화 추세가 가속되고 있는 가운데 전통적인 상업은행 대출에 대한 수요가 감소하고 은행의 중개 없이 수요자와 공급자 간 거래가 이뤄지는 P2P 금융이 확산되고 있다.

반면 우리나라는 금융 혁신을 가로막는 각종 규제들에 발목이

잡혀 글로벌 환경 변화에 대해 적극적인 대응 전략을 내놓지 못하고 있다. 소비자들의 행동 패턴이 시시각각 변하고 있지만 이에 대한 대응 전략이 제대로 수립되지 못하면서 개방형 플랫폼을 갖춘 글로벌 기업들이 빠른 속도로 국내 금융시장을 잠식하고, 국내 금융회사들의 위상은 대폭 축소될 것으로 예상된다.

프랑스 국민들은 1978년부터 보급되기 시작했던 미니텔이라는 단말통신기기를 사용했다. 이를 통해 모든 공공기관과의 정보 교환은 물론이고 은행 업무, 항공권과 연극 티켓 예약 결제, 주식 거래, 각종 시험원서 제출, 메일 교환 등 현재 인터넷을 통해 할 수 있는 모든 업무, 취미생활과 관련된 서비스를 받았다. 1980년대 프랑스는 600만 가구가 미니텔 단말기와 전용 네트워크를 이용하며 선진국 가운데 정보통신 환경이 가장 앞서 있다는 평가를 받았다.

하지만 21세기를 앞두고 다른 국가들이 잇따라 초고속 인터넷망을 구축할 당시 프랑스는 여전히 자국 독자 기술인 미니텔을 고집했다. 그 결과 글로벌 개방형이 아니라 폐쇄적인 특성을 지녔던 미니텔은 글로벌 스탠더드인 인터넷에 밀려 2012년 서비스가 중단되는 비운을 맞는다. 프랑스는 현재 글로벌 무대에서 활약 중인 인터넷기업이 드물고 서유럽 국가 중에서 독자적인 인터넷 콘텐츠가 가장 적은 나라로 전락했다.

우리나라 금융계도 핀테크 혁명에서 뒤처질 경우 다국적 비금융회사들의 공세에 밀려 미래 금융시장을 송두리째 잠식당하는 결과를 초래할 수 있다. 저금리, 저성장으로 경영 위기에 직면한 우리나라 금융회사들 입장에서 핀테크발 금융·ICT 융합과 온·오프라인의 경계를 허무는 패러다임 전환은 미래 시대 생존을 결정할 수 있는 최대의 위기이자 새로운 도약의 기회다.

세계경제포럼WEF, 네덜란드경제기획원NBEPA 등이 내놓은 미래 금융시장 예측 보고서를 분석한 결과 멀티채널(고객 접점 다각화), 컨버전스(융합), 시큐리티(보안), 휴먼웨어(금융인재)가 미래 금융산업을 좌우할 4개의 키워드로 제시됐다. 세계경제포럼은 '2020년 금융시장' 보고서에서 빅데이터와 SNS를 활용한 금융상품의 멀티채널화, 통합적이고 자동화된 신용평가 기술 진화가 미래 금융산업 경쟁력을 결정지을 핵심 변수가 될 것으로 예측했다.

특히 미래 시대는 은행, 보험, 증권, 자산관리 등 금융회사 간 차별성이 줄어들고 그 대신 유통·통신 등 비금융업종과 결합된 새로운 상품과 서비스의 개발이 진행되는 가운데 생활 밀착형 통합 서비스가 소비자들의 선택을 받을 것으로 전망했다. 네덜란드 경제기획원도 '2030 금융 서비스' 보고서에서 미래 시장 판도를 바꾸는 IT 기술 발달로 인해 금융회사들은 앞으로 네트워크와 융합 기반을 갖춘 복합기업Conglomerates으로 성장할지, 환경 변화에 적응하지 못한 채 자신들의 기존 영역에 갇혀 몰락하는 고립된 섬

_{Isolated Islands}이 될지 운명의 기로에 설 것으로 예상했다.

컨설팅회사 프라이스워터하우스쿠퍼스_{PwC}는 미래 산업 변화를 예측한 '소매금융 2020년 혁명' 보고서를 통해 "핀테크 혁명이 진행될수록 사이버 보안이 더 중요한 변수로 부상한다. 이 부분에서 얼마나 소비자들의 신뢰를 얻느냐가 2020년 이후 금융회사들의 경쟁력을 좌우할 것"으로 내다봤다. 미래 금융시장과 소비자들의 행태 변화를 예측한 이들 보고서는 금융, IT 기술과 온라인 네트워크 구축을 통한 상품, 서비스의 진화도 결국에는 이를 개발하고 활용하는 인재들의 손에 달려 있다며 하드웨어와 소프트웨어에 이어 휴먼웨어의 중요성이 금융산업에서도 갈수록 더 커질 것으로 전망했다.

히드 테리 골드만삭스 전무

"
크라우드 펀딩은 금융의 사회화를
잘 보여주는 사례
"

"미래금융은 한마디로 '금융의 사회화Socialization of Finance'라고 정의할 수 있습니다. SNS와 최신 정보기술IT 덕분에 기존 금융기관의 도움 없이도 대출, 펀딩, 결제, 자산관리 등 모든 금융 서비스를 간편하게 할 수 있는 시대가 성큼 다가오고 있습니다."

'금융의 미래The Future of Finance' 보고서를 작성해 미국 월가 금융권의 주목을 받은 히드 테리 골드만삭스 전무는 〈매일경제〉와 인터뷰하면서 이같이 단언했다. 핀테크기업인 렌딩클럽이나 온덱이 바로 금융의 사회화를 대변한다. 이들 업체는 대출받기를 원하는 사람과 적정 마진을 받고 여윳돈을 빌려주려는 사람을 효과적으로 연결해 주는 일종의 플랫폼 사업 모델을 통해 전문 중개자 역할을 해 왔고 시중은행들의 문턱을 뛰어넘으며 약진하고 있다.

금융의 사회화는 온라인과 자동화, 네트워크 효과 등의 특성을 등에 업고 누구나 금융 서비스를 제공하고 이용하면서 기존 금융의 판도를 뒤흔드는 신조류를 대변한다. 신규 핀테크기업들은 기존 금융회사보다 고객을 끌어모으는 단위 비용을 절감하는 것이 가능해 고객들에게 더 많은 혜택을 제공할 수 있는 환경을 갖추고 있다. 금융 거래 속도, 사용 편의성, 접근성도 뛰어나다.

테리 전무는 "송금을 원하는 개인 고객이 뱅크오브아메리카BOA의 온라인 뱅킹을 이용하면 최소한 15번을 클릭해야 하지만 페이팔의 송금결제 서비스인 벤모Venmo를 활용하면 5번만 누르면 된다"고 예를 들었다. 돈을 주고받는 사람끼리 이미 온라인을 통해 연결(네트워킹)돼 있기 때문에 가능한 일이다. 또한 금융과 IT의 접점이 한층 넓어지는 미래금융 시대에는 '금융의 민주화'라고 할 만큼 많은 고객들이 보다 많은 상품과 서비스를 훨씬 낮은 비용으로 이용할 수 있다고 그는 설명했다.

밀레니얼 세대1980년대 초에서 2000년대 초 출생한 세대라 불리는 젊은 금융 소비자들의 성향은 기존 금융기관의 전통적 거래 방식과는 거리가 있다. 테리 전무는 "밀레니얼 세대의 3분의 1은 향후 5년 안에 은행이 더 이상 필요치 않다고 생각한다. 이들의 63%는 이미 신용카드를 갖고 있지 않으며 앞으로 현금도 필요 없을 것으로 본다"고 말했다.

밀레니얼 세대의 소상공인들은 종전 베이비붐 세대보다 P2P 서비스를 5배가량 많이 이용할 것으로 파악됐다. 핀테크를 비롯한 금융 신기술과 기존 금융의 틀을 벗어난 금융 소비자의 결합이 금융 지형을 빠르게 바꿀 것임을 시사하는 대목이다.

테리 전무는 "대중들로부터 자금을 모으는 방식의 크라우드 펀딩Crowd Funding은 금융의 사회화 현상을 잘 보여 주는 사례다. 영화 제작이나 신제품 개발, 사회공익활동, 벤처캐피털 등 다방면에서 활용되고 있는 것처럼 금융산업에서도 크라우드 펀딩이 자금 조달의 주류로 등장하게 될 것"이라고 전망했다.

CHAPTER **02**

글로벌 금융
빅블러 혁명

금융 영토를 점령하는
IT·유통기업들

　금융회사들이 주도했던 과거 시장에서 소비자들은 일방적으로 서비스를 받는 수동적인 존재였다. 하지만 유통과 IT, 통신 등 비금융산업군에 종사했던 기업들은 온라인 플랫폼이라는 막강한 네트워크를 앞세워 소비자들을 생산, 판매에도 직접 참여하는 프로슈머로 변모시키고 있다. 그리고 금융시장의 새로운 주도 세력으로 부상하고 있다. 글로벌 금융시장은 비즈니스의 경계를 허무는 '빅블러Big Blur' 혁명이 시작됐다. 변화의 흐름을 제대로 읽지 못하거나 자신의 영역을 지키기에 급급하면 몰락을 가속화할 뿐이다.

　세계 최대 검색사이트 구글은 금융기업으로 변신을 시도하고 있다. 그 기반은 세계 시장의 충성도 높은 고객들과 그들의 막강한 응집력이다. 구글은 지난 2011년 모바일 전자지갑 서비스 '구글 월렛'을 출시했다. 3년 뒤인 2014년에는 전자메일 기반의 송금 서비스까지 새롭게 도입했다. 애플의 변신도 화려하다. 2012년 전자지갑 서비스 '패스북'을 출시한 데 이어 온라인 결제 서비스인 애플페이를 앞세워 본격적으로 금융사업에 뛰어들었다.

오프라인 유통기업의 금융 진출도 눈여겨봐야 한다. 세계 최대의 커피 체인점인 스타벅스가 그 주인공이다. 스타벅스는 미국 시장에서 전체 매출의 30% 이상이 신용카드사를 거치지 않고 자체 충전이 가능한 로열티 카드로 결제된다. 스타벅스 마니아로 불리는 충성도 높은 고객들이 포인트 충전이 가능한 스타벅스 지급결제의 핵심 자산이다.

빅블러 혁명이 무서운 이유는 개방과 협업을 통해 비즈니스 기반을 통째로 뒤바꿀 수 있는 잠재력을 보유하고 있기 때문이다. 애플의 iOS와 구글의 안드로이드, 카카오의 카카오톡처럼 '생활 밀착형'으로 자리 잡은 온라인 플랫폼이 막강한 고객 데이터베이스를 기반으로 금융사업에 나설 경우 파괴력이 더욱 커지게 된다.

은행을 비롯한 기존 금융회사들이 주도했던 1세대 디지털 금융은 인터넷과 스마트폰을 기반으로 금융회사 서비스를 온라인화한 지급결제와 계좌이체 서비스가 주류를 이뤘다. 하지만 핀테크와 IT·유통기업이 주도하는 2세대 디지털 금융은 온라인 플랫폼과 소셜네트워크서비스SNS를 기반으로 금융회사를 거치지 않

스타벅스는 자체 결제 시스템과 충성도 높은 고
객들을 앞세워 금융회사들의 사업 영역을 빠르
게 잠식하고 있다.

고 소비자들이 직접 금융 서비스를 주고받는 사업 모델로 승부를
건다. 그리고 모바일 문화를 생활의 일부로 받아들이는 젊은 층
소비자들로부터 폭발적인 호응을 받으면서 기존 비즈니스 모델
을 무용지물로 만들어 버린다.

중국 최대 SNS기업인 텐센트와 중국 최대 전자상거래기업인
알리바바의 지급결제 서비스 회사인 알리페이도 한국에서 금융
사업에 본격적으로 뛰어든다. 2016년 하반기 국내에서 출범하는
인터넷전문은행에 컨소시엄 구성원으로 전격 참여했기 때문이
다. 텐센트는 2015년 1월 위뱅크를, 알리바바는 같은 해 6월 마이
뱅크를 설립하며 중국에서 본격적으로 금융사업을 시작했다. 이

들 중국 업체는 수억 명 회원을 지닌 온라인 플랫폼 파워를 앞세워 한국 시장을 공략하고 나설 것으로 보인다.

알리바바의 경우 자회사 타오바오에서 거래하는 중국 사업자 40만 명에게 소액대출사업을 하고 있다. 타오바오는 대출 심사 때 빅데이터를 적극 활용하고 있다. 전자상거래 사이트의 거래량, 재구매율, 만족도, 판매자와 구매자의 대화 이력, 구매 후기, SNS와 포털 등의 데이터를 종합적으로 분석해 신청자의 대출 상환 능력과 의지를 도출하고 적격성 여부를 판단한다. 알리바바의 중소기업 대출 부실률은 1% 미만인데 이는 중국 은행권의 평균 부실률(2% 전반)을 크게 밑도는 수치다.

알리바바의 금융사업 성공은 모바일 영역에서 고객들과의 접점 요인을 최대한 활용했기 때문이다. 모바일은 기존 PC나 웹에 비해서 접근시간, 이용횟수, 이용 편리성에서 훨씬 앞선 데이터를 제공하고 SNS와 클라우드, 빅데이터 분석 등 다양한 IT 기술을 접목할 수도 있다.

금융 영역을 침공하는 IT·유통기업들의 또 다른 차별성은 낮은 수수료다. 개인이나 기업이 금융기관을 거치지 않고 온라인 플랫폼을 통해 다수의 고객들로부터 직접 자금을 조달하는 P2P개인 간 금융 거래나 P2B개인과 기업 간 금융 거래가 이 같은 사례다.

글로벌 시장에서는 비즈니스 경계를 허무는 빅블러 혁명이 전개되고 있지만 국내 시장은 아직 큰 변화의 흐름이 감지되지 않

알리바바의 금융 서비스 현황

구분	서비스명(개시)	주요 특징
지급결제	알리페이 (2004년 12월)	구매자와 판매자 간 임시계좌 개설 그룹 내 온라인 쇼핑 결제 서비스
대출	알리바바파이낸셜 (2007년 5월)	무담보 신용대출 빅데이터 인프라 보유
투자중개	위어바오 (2013년 8월)	시중 금융기관 대비 고수익률 알리페이 계정 여유자금 입금
보험	중안온라인 (2013년 9월)	인터넷 판매채널 특화 소액대출보증, 재화도난보험
인터넷은행	마이뱅크 (2015년 6월)	신용대출, 보험, 결제 시스템 구축 500만 위안 미만 대출고객 타깃

는다. 금융회사들이 자신들의 영역을 지키려고 변화의 흐름을 애써 외면하고 있다는 지적이 나올 정도다.

이런 가운데 비금융회사들이 속속 금융회사들의 기존 사업 영역을 잠식하고 있다. 가장 대표적인 분야가 바로 전자지갑 비즈니스다. 통신회사인 KT(모카)와 SK플래닛(스마트월렛)에 이어 휴대폰 제조회사인 삼성전자(삼성m포켓)도 전자지갑 서비스를 시작했다. 모바일 기기를 통해 신용결제뿐 아니라 멤버십, 포인트, 쿠폰 등 다양한 결제 방식을 자유롭게 선택할 수 있기 때문에 스마트폰 혁명이 초래한 모바일 경제 시대의 새로운 결제 방식으로 각광받고 있다.

우리나라는 세계적인 IT 강국이지만 업종 간 경계를 허무는 다양한 융합산업이 활성화되지 않고 있다. 가장 큰 이유는 바로 칸막이 금융 규제가 존재하기 때문이라고 전문가들은 지적한다. 신용카드 정보 저장을 위해서는 신용카드 사업자의 허가가 반드시 필요하다고 규정해 비금융회사가 지급결제 서비스를 제공하기 어렵게 만드는 여신전문금융업법이 대표적인 사례다.

일본의 경우 비금융기관의 금융업 진출을 허가제가 아니라 등록제로 운영하고 있다. 중국도 역시 IT기업을 비롯한 비금융사의 금융산업 진출을 정부가 앞장서서 독려하고 있다. 유럽은 이른바 '패스포팅Passporting' 규정에 따라 유럽연합EU의 한 국가에서 금융업을 허가하면 EU 시장 전체에서 금융업을 할 수 있도록 제도적 기반을 구축했다.

SNS와 빅데이터를 앞세운
뉴 서비스

글로벌 핀테크기업인 렌도는 SNS에서 지인의 연체 이력과 평판을 반영한 신용평가점수를 개발해 이를 회원들 간의 소액대출 데이터로 활용한다. 핀테크기업인 크레디테크는 고객들이 작성한 대출 신청서의 맞춤법과 문장 특성까지 파악해 이를 대출심사에 활용하고 있다. 영국 소비자들은 5%에 달하는 해외송금 수수료를 10분의 1로 줄였다. 핀테크업체인 트랜스퍼와이즈가 제공하는 P2P 서비스 덕분이다. 2011년 창업한 이 회사를 통해 기존 금융회사를 거치지 않고 영국인들은 연평균 15억 달러(약 1조 8,000억 원) 규모의 해외송금 거래를 하고 있다.

글로벌 신용카드사들도 빅데이터 기반의 CLOCard Linked Offer 서비스를 마케팅에 활용하고 있으며, 은행과 보험사도 리스크 관리, 보안 등의 영역에서 빅데이터 활용 범위를 넓혀 가고 있다. 비

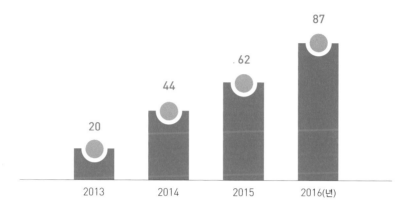

미국 내 모바일 예금·송금 이용자 추이 (단위: 100만 명)

87

.62

44

20

2013 2014 2015 2016(년)

*2015·2016년은 전망   자료: BI인텔리전스

자카드는 고객의 동의하에 결제 장소, 시간, 구입 품목 등을 실시
간으로 파악하고 고객의 구매 이력 및 성향을 감안하여 인근 매
장의 할인쿠폰을 발송해 주는 서비스를 제공한다. 아멕스카드는
SNS의 고객 계정을 자사 카드와 연동해 고객이 상품을 구매할
때 SNS를 통해 할인을 해 주는 상품을 출시해, 고객의 거래 성향
을 파악하는 데 도움이 되는 대량의 정보를 축적한 후 이를 마케
팅에 활용하고 있다.

글로벌 금융사들도 내부 보안과 상품 개발에 빅데이터를 적
극 활용하는 추세다. JP모건은 미승인거래 등 직원 비리에 따른
손실을 방지하기 위해 직원 인터넷 사용 데이터와 SNS 공개 데

이터 등을 분석하는 등 내부 보안 업무에 빅데이터를 활용한다. AIG그룹은 운전자 연령, 성별, 사고 이력뿐만 아니라 운전 지역, 습관, 운전 시간 등을 활용하고 있다. 씨티그룹은 거래 내역 등의 빅데이터를 자체 시스템으로 분석하여 신용도가 낮거나 떨어질 가능성이 있는 고객들을 선별한 후 대출과 신용카드 발급 여부를 결정한다.

미국 자동차보험 전문 회사인 프로그레시브는 고객의 자동차에 운행 기록 장치를 장착해 고객별 운전 습관을 파악하고, 사고 가능성을 예측하여 보험료를 산정하는 프로그램Pay as you drive을 운영해 주목받고 있다. 다른 경쟁사와 비교헤 최대 10배가 넘는 상세분류 기준을 도입했고 결과적으로 저위험군 가입자에게 경쟁사 대비 낮은 보험료를 책정해 소비자들로부터 큰 호응을 얻는 데 성공했다.

미국 신용평가사들은 맞춤법을 틀리지 않는 사람일수록 원금 상환에 대한 의지가 강하다는 특성을 이용해 이를 신용평가 변수로 활용하고 있다. 고객이 주기적으로 온라인 쇼핑을 한다면 소득이 일정할 것이라고 추정하여 얼마나 주기적으로 택배 기사가 방문하는지를 신용평가에 반영하기도 한다. 꼼꼼한 사람이 연체를 하지 않는다는 전제하에 상품 약관을 제대로 보지 않고 '확인'을 곧바로 클릭하는 사람은 신용도를 감점하는 방식도 있다. 대출 신청 서류의 열람 속도가 빠를수록 주의력이 결핍될 가능성이

첨단 IT기술과 금융서비스가 접목되면서 글로벌 금융은 패러다임 전환에 직면해 있다. 사진은 아시아의 금융허브인 홍콩 금융가의 전경.
사진: 매경DB

높다는 이유로 대출 신청자가 대출 서류를 열람하는 속도를 신용 평가에 반영하는 모델도 있다.

SNS를 활용하는 핀테크기업들은 온라인 평판 조회도 고객 데이터 기반으로 활용한다. 온라인상에서 대출 신청자와 관련된 비정형 데이터를 추출한 후 긍정적이거나 부정적인 메시지를 판별하여 신용도를 평가하는 방식이다.

온라인 평판을 조회해 대출 여부를 결정하는데 페이스북이나 트위터 등 SNS 지인 중에서 연체자가 있거나 '자동차 사고' 또는 '실직'과 같은 부정적인 단어들의 출현 빈도가 높으면 신용점수가 감점된다. 미국 P2P기업인 렌딩클럽의 경우 레스토랑을 운영하는 자영업자가 신규 대출을 신청하면 페이스북이나 트위터는 물론 미국 레스토랑 리뷰 사이트의 평점까지 조사해 신용등급에 반영한다.

국내 금융회사들도 앞다퉈 빅데이터와 SNS 활용 범위를 확대하고 있다. 데이터 분석에 기반을 둔 서비스 개선과 고객만족 전략 수립에서 벗어나 수요 예측과 상품 개발로 데이터 적용 범위가 진화하고 있다. 하나은행의 경우 빅데이터 분석 시스템으로 대량의 로그Log 데이터를 분석해 과거에는 제대로 파악되지 않았던 악성코드 공격에 대한 징보를 보완했고, 고객들에 대한 보안성을 높이는 데 효과를 내고 있다. 삼성화재는 빅데이터를 바탕으로 접수된 사고의 패턴과 위험도를 분석한 뒤 보험사기 의심 사례를 추출하는 고위험군 사고 분석 시스템IFDS을 도입해 운영하고 있다.

신한은행은 고객들의 인성을 평가하는 새로운 방법을 연구하고 있다. 인성평가 방식은 심리학에 근거해 그림이나 질문에 대한 답변을 데이터상 고객 정보와 비교해 개인의 신용도를 평가하는 것이다. 예를 들어 '100달러가 생긴다면 무엇을 할 것인지' 또는 '책상 위 정돈 상태는 어떠한지' 등의 질문에 대한 답변을 통해 평소 본인의 습관이나 성격을 단시간에 파악해 신용도를 측정하는 방식이다. 신한은행은 이를 위해 최대한 많은 고객 데이터를 확보하고 있으며 이 기술이 상용화되면 앞으로 오프라인 영업지점을 거치지 않는 비대면 영업활동에 큰 기여를 할 것으로 기대하고 있다.

웨어러블 금융과
로보어드바이저의 시대

2027년 30대 초반 직장인 김금융(가칭) 씨는 고교 동창의 결혼 식장에 갔다. 그러나 미처 축의금을 준비하지 못했다. 설상가상 으로 결혼식장은 김 씨에게 생소한 지역이다. 그래도 그는 여유 만만하다. 자신이 쓰고 있는 안경에서 본인 위치와 가장 가까운 현금자동입출금기ATM를 찾아 주기 때문이다. 김 씨는 ATM 화면 상에 나타나는 QR코드를 안경으로 스캔했다. 안경에 일회용 비 밀번호가 생성됐고 사용자만 볼 수 있는 비밀번호를 통해 PIN코 드개인식별숫자가 유출될 염려 없이 안전하게 현금을 인출했다.

그의 직장 동료인 강미래(가칭) 씨는 대출이 필요할 때마다 목 에 착용한 파이낸셜 네크리스금융 서비스 목걸이를 통해 음성으로 실행 명령을 전달한다. 그리고 스마트폰 화상으로 상담센터의 전문 직 원과 동일한 화면을 보면서 시간과 장소에 구애받지 않고 금융

상담을 받는다. 해외출장이 잦은 그녀에게 파이낸셜 네크리스는 환율 변동 사항에 대한 실시간 모니터링, 각종 청구서의 만기일 자 도래와 계좌 잔액 부족에 대한 알림 기능을 제공한다.

사물인터넷IoT 시대가 도래하면서 웨어러블Wearable 기기를 접목한 '웨어러블 금융'이 새로운 트렌드로 부상하고 있다. 2010년 이후 급성장한 스마트폰시장이 성숙기에 진입하면서 정보통신기술ICT업계는 대체 성장동력을 모색하고 있다. 그 핵심이 바로 웨어러블 기기다.

웨어러블 기기는 팔찌와 장갑, 목걸이, 허리띠, 신발, 의류, 배지 등 소비자들이 몸에 착용하는 형태는 물론이고, 최근에는 콘택트렌즈와 같이 피부에 직접 이식하는 첨단기술도 속속 등장하고 있다. 시장조사 전문기관에 따르면 웨어러블 기기는 2018년 최소 1억 3,000만 대(주니퍼리서치 전망)에서 최대 4억 8,000만 대(ABI리서치 전망)가 글로벌 시장에 출하될 것으로 예측된다.

금융시장에서도 온라인 뱅킹에서 시작해 모바일 뱅킹을 거쳐 웨어러블 뱅킹으로 이전되는 속도가 점점 더 빨라지는 추세를 보이고 있다. 웨어러블 기기 활용이 가장 활발한 금융 서비스는 지급결제 분야를 꼽을 수 있다. 해외 금융회사와 지급결제업체들이 미래 결제시장 선점을 위해 다양한 형태의 결제 서비스를 출시했거나 준비하고 있다.

미국 이베이의 결제 시스템인 페이팔은 2014년 11월부터 스마트워치업체인 페블에 자사의 앱을 탑재해 가맹점에서 생성한 결제코드를 인식하는 첨단 서비스를 제공하고 있다. 미국 더멤버스그룹TMG은 2015년 7월 구글 글래스를 이용한 결제 서비스 '시투페이See2Pay'를 출시했다. 커피숍이나 쇼핑몰에서 결제할 때 안경형 웨어러블 기기인 구글 글래스 창에 결제 가능한 정보가 생성되고 고객들이 이를 터치하면 결제가 자동적으로 완료되는 시스템을 구축했다.

결제 서비스뿐 아니라 예금 조회나 송금을 비롯한 금융 서비스도 웨어러블 기기로 제공하는 은행들이 최근 증가하고 있다. 영국 네이션와이드는 2014년 모바일 뱅킹 서비스와 연동된 스마트워치 전용 애플리케이션을 출시했다. 2016년 1월 초 미국 라스베이거스에서 열린 국제전자제품박람회CES에서도 기존 스마트워치나 안경에 머물지 않고 벨트, 반지, 콘택트렌즈 등 인체 부착형으로 개발된 첨단 금융 기기들이 대거 선보여 주목을 받았다.

미래 금융시장의 또 다른 변화는 로보어드바이저가 주도하는 자산관리 분야다. 고객들이 투자한 자산에 대한 운용은 기존 금융시장에서 자산운용사의 펀드매니저에 의해 선정된 포트폴리오, 즉 사람의 판단에 따라 구체적인 종목 선정과 자산 배분이 이루어졌다. 하지만 미래 시대는 빅데이터, 머신러닝, 알고리즘 등 IT 기술과 포트폴리오를 결합한 로보어드바이저 신기술이 이 분야를 빠르게 대체한다.

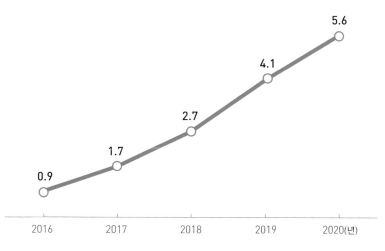

미국 자산관리 서비스 중 로보어드바이저의 비중 전망 (단위: %)

5.6

4.1

2.7

1.7

0.9

2016 2017 2018 2019 2020(년)

자료: AT커니

로보어드바이저는 '로봇Robot'과 '자문가Advisor'의 합성어로 로봇
이 개인 맞춤으로 자산운용과 관리자문을 해 주는 서비스를 의미
한다. 투자자가 자신의 수입, 목표수익률, 위험회피 정도 등 개인
투자 성향에 대한 정보를 입력하면 해당 정보를 기반으로 다양한
알고리즘을 활용해 투자자에게 가장 적합한 포트폴리오를 제공
하는 구조다.

그뿐만 아니라 시장 변동에 따라 수익 극대화와 위험 축소를
주기적으로 알려 주며 포트폴리오까지 관리해 준다. 글로벌 시장
조사업체 마이프라이빗뱅킹은 2015년 상반기 200억 달러(약 24

조 원) 규모였던 글로벌 로보어드바이저시장은 오는 2020년 전후 22배 정도 성장한 4,500억 달러(약 540조 원)에 이를 것으로 전망한다. 미국에서는 배터먼트와 웰스프론트 등 스타트업 기업들이 속속 등장해 로보어드바이저 기반의 투자자문 서비스를 제공하며 고객들을 유치하고 있다.

로보어드바이저는 온라인이나 스마트폰상에서 자산 배분 업무를 수행한다. 따라서 개인 맞춤형 서비스 제공은 물론이고 직원들을 통한 대면 상담보다 훨씬 저렴한 수수료, 뛰어난 접근성, 모바일 이용성 등 다양한 부문에서 장점을 지니고 있다. 다만 고액 자산가들의 경우 막대한 재산 운용을 로봇에게 전적으로 의존하는 것을 주저할 수 있기 때문에 이들을 얼마나 설득할 수 있느냐가 미래 고객 기반 확대를 결정지을 수 있는 변수가 될 것으로 보인다.

글로벌 금융시장에서는 이미 자동화된 투자, 매매 프로그램이 운영되고 있다. 대표적인 예가 바로 시스템 트레이딩이다. 투자자가 특정 조건을 프로그램에 미리 입력하면 컴퓨터가 그에 따라 매매 여부를 결정하는 시스템이다. 로보어드바이저는 시스템 트레이딩처럼 단순 매매로 투자가 완료되는 것이 아니라, 다양한 알고리즘을 토대로 장기적인 관점에서 투자자별 성향에 맞게 최적화된 투자 기법을 제시한다. 시장 변화에 따른 빅데이터 분석을 통해 유기적으로 포트폴리오에 변화를 준다는 차원에서 시스템 트레이딩보다 훨씬 진일보한 인공지능 자산관리 시스템이다.

우리나라의 경우 증권회사에 이어 최근 은행들도 로보어드바이저를 활용한 자산관리 서비스와 상품을 속속 내놓고 있다. 금융당국도 차세대 핀테크시장에서 가장 주목받는 신성장 분야라는 판단 아래 로보어드바이저 기술을 중점적으로 지원할 계획이라고 밝혔다.

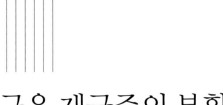

금융 제국주의 부활과
풍전등화 한국 금융

중국 기업인 알리바바의 지급결제 서비스회사인 알리페이와 중국 최대 SNS기업인 텐센트는 한국 사업을 목표로 큰 결단을 했다. 2016년 하반기 국내에서 출범하는 인터넷전문은행에 컨소시엄으로 각각 참여한다는 것이다.

텐센트는 2015년 1월 위뱅크를, 알리바바는 같은 해 6월 마이뱅크를 설립하며 중국에서 금융업을 시작했다. 이들 중국 기업들은 수억 명 회원을 지닌 온라인 플랫폼 파워와 자국에서 시작한 금융 서비스 노하우를 앞세워 한국 시장을 공략하고 나설 것으로 예상된다.

국내 금융회사들은 핀테크발 패러다임 전환 속에서 생존하느냐, 도태하느냐의 새로운 갈림길에 직면해 있다. 미래 시대에는 외국 금융회사들의 국내 활동을 제한했던 각국의 규제들이 점진

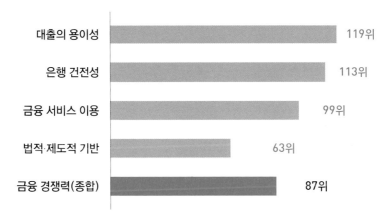

한국의 금융 경쟁력 순위는?

대출의 용이성	119위
은행 건전성	113위
금융 서비스 이용	99위
법적·제도적 기반	63위
금융 경쟁력(종합)	87위

자료: 세계경제포럼 140개국 조사(2015년 9월 발표)

적으로 폐지되고 ICT 기술로 무장한 다국적 핀테크기업들이 국내 시장에 속속 진출한다. 이들은 점포 영업을 앞세웠던 기존 금융회사들을 대신해서 고객들의 빅데이터 분석과 신용정보 파악, SNS, 비대면 거래를 활용한 새로운 서비스 모델들을 속속 도입하며 이에 대응하지 못한 국내 금융회사들의 몰락을 가속화한다.

글로벌 정세를 제대로 읽지 못하다가 제국주의의 희생양으로 전락한 19세기 구한말의 모습처럼 빠르게 변하는 글로벌 금융 조류에서 낙오할 경우 현대판 금융 제국주의의 물결 속에 국내 금융회사들이 텃밭을 송두리째 내줄 수 있다는 경고가 나온다.

알리바바의 마윈 회장은 2015년 5월 한국을 방문했을 당시 "한국인에게 맞는 코리안페이를 만들 것"이라고 발표했다. 알리페이의 지급결제 시스템은 카드회사와의 제휴 없이도 가능한 구조이기 때문에 알리바바의 한국 고객 대상 서비스가 탄생하면 국내 카드회사들은 수익 악화를 피할 수 없을 것으로 보인다. 알리바바는 이미 글로벌 금융업계 최대의 공공의 적으로 부상하고 있다. 알리바바가 2014년 9억 1,300만 달러(약 1조 1,000억 원)를 투자해 설립한 온라인 보험회사 중안보험은 파이낸셜타임스가 선정한 세계 100대 핀테크기업 중 성장성과 기업가치 측면에서 1위를 차지했다.

제조업 기술에서 한국과의 격차를 상당히 줄인 중국은 이른바 제4차 산업혁명으로 일컫는 핀테크 분야에서 이미 우리나라를 크게 앞서고 있다는 평가를 받는다. 금융 선진국인 미국과 영국이 아니라 우리나라가 한 수 아래로 보는 중국이 금융과 IT가 결합한 핀테크에서 한국보다 오히려 앞서 있다는 것은 충격적인 일이다. 실제로 중국 알리바바와 텐세트, 바이두와 같은 IT기업이나 핀테크 전문 업체들이 글로벌 세력 확장에 사활을 걸고 나섰다.

국내 시중은행은 1997년 외환위기, 금융위기를 거치면서 '빅4 체제'로 재편됐다. 신한, 하나, 국민 등 빅3 은행은 금융 지주회사 체제를 갖췄고 우리은행은 정부가 보유 중인 지분을 매각해 민영화를 앞두고 있다. 하지만 빅4 은행들이 주도하고 있는 오프라인 시장에서도 글로벌 금융사들의 국내 영토 침범은 예외가 아니다.

지난 2014년 국내 인수합병M&A 사상 최고가인 7조 2,000억 원에 거래된 홈플러스 매각을 살펴보면 아쉽게도 국내 금융회사들이 인수 과정에 참여할 수 있는 기회가 없었다. 홈플러스 매각 주간사는 영국계 HSBC와 바클레이즈다. 인수회사에 자문을 했던 금융회사도 미국 씨티그룹과 도이치뱅크다. 국내 대형 유통기업의 주인이 천문학적 거래금액을 기록하며 뒤바뀌는 역사적 현장은 외국계 금융회사들의 수수료 잔치로 막을 내렸다.

외국 자본의 국내 시장 M&A 공세도 한층 속도를 내고 있다. 동양그룹 사태로 분리된 동양증권은 이름도 생소했던 대만 회사인 유안타증권에 전격 인수됐고, 중국의 안방보험은 동양생명 인수전에 참여해 지분 63%를 사들이며 국내에서 사업을 하는 첫 중국계 보험회사로 이름을 올렸다. 대부업과 저축은행을 비롯한 서민 금융시장도 일본계 자금이 빠른 속도로 국내 시장을 장악하고 있다. 2015년 말 기준 SBI, JT친애, OSB 등 일본계 저축은행업체들의 국내 시장 운용자산은 국내 대부업 전체 자산의 약 20%를 넘은 것으로 추산된다.

영국 금융 전문 잡지 〈더뱅커The Banker〉가 발표하는 세계 1,000대 은행 리스트에서 2015년 기준 한국은 상위 50대 금융회사가 한 곳도 없다. 반면 중국은 중국공상은행ICBC이 3년 연속 1위 자리를 지킨 것을 비롯해 중국건설은행(2위), 뱅크오브차이나(4위), 중국농업은행(6위) 등 무려 4개가 글로벌 순위 톱 10에 들었다.

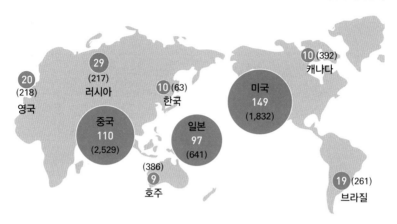

(단위: 개, 억 달러)

20
(218)
영국

29
(217)
러시아

10 (63)
한국

10 (392)
캐나다

중국
110
(2,529)

일본
97
(641)

미국
149
(1,832)

(386)
9
호주

19 (261)
브라질

*괄호 안은 총순이익

자료: 더뱅커(2014년 기준)

투자은행IB 업무를 담당하는 증권사로 눈을 돌려보면 현실은
더 참혹하다. 상업은행 부문 없이 IB 부문만 존재하는 골드만삭
스는 2012년 기준 기본자본이 670억 달러(약 79조 원)에 달한다.
2014년 기준 국내 최대 증권사 NH투자증권 자본금이 4조 원 중
반 남짓한 것과 대비하면 18배 가까운 규모다. 세계경제포럼WEF
은 2015년 하반기 국가별 금융 경쟁력 순위 지표를 발표하며 전
세계 조사 대상 140개 국가 중 한국을 87위로 평가했다. WEF 조
사 결과 우리나라의 국가 경쟁력이 26위인 점을 감안하면 금융 분
야 경쟁력이 특히 저조하다는 의미다.

국내 금융사들의 경쟁력이 이처럼 추락한 것은 과감한 개혁을

추진하지 못한 데다 아직도 시대착오적 칸막이 규제들이 존재하기 때문이다. 낙하산 인사와 관치금융, 대마불사라는 모럴해저드가 사라지지 않고 있는 가운데 금융노조의 집단 이기주의와 붕어빵처럼 천편일률적인 금융 서비스 관행에서 벗어나지 못하고 있는 것도 우리나라의 금융 경쟁력을 갉아먹는 주요 원인으로 꼽힌다. 이상빈 한양대 교수는 "금융회사들이 스스로 혁신과 경쟁에 나서지 않고 시장 상황에 따라 수익 구조가 개선되기를 바라는 천수답 구조를 유지한다면 글로벌 경쟁에서 계속 밀리는 결과를 초래할 것"이라고 경고했다.

국민소득 2만 달러 늪에서 벗어나지 못하고 있는 우리나라는 금융산업의 도약 없이는 소득 3만 달러 진입이 어렵다는 전망이 나온다. 반도체, 휴대폰, 자동차, 조선, 화학 등에 의존했던 제조업 기반 수출 주도형 경제 구조가 갈수록 더 한계에 직면할 것으로 예상되기 때문이다.

해법은 우리나라 IT 기술력을 극대화할 수 있는 첨단 금융 서비스를 개발해 글로벌 시장에 우리 금융을 수출하는 것이다. 정주영 신화, 이병철 신화를 만들었던 것처럼 우리나라 국민들은 금융 강국 신화를 얼마든지 써 나갈 수 있는 창의력과 도전정신의 DNA를 지니고 있다. 우리나라 금융산업이 직면한 위기 상황은 시각을 조금만 바꾸면 새롭게 도전할 기회다. 글로벌 금융의 변방에 머물며 외국 회사들의 놀이터로 전락하느냐, 제조업에 이은 제2의 금융 강국 신화를 만들며 국민소득 3만 달러 시대의 초석을 닦느냐.
우리나라 금융은 그 선택의 중대한 기로에 서 있다.

"
핀테크를 통해 고객마다
차별화된 서비스를 받게 될 것
"

"앞으로 핀테크FinTech란 단어조차 사라질 것입니다."

글로벌 컨설팅회사인 언스트앤영의 핀테크 전문가인 매튜 해치 파트너 겸 핀테크부문장은 〈매일경제〉와 인터뷰하면서 이같이 전망했다. '금융(파이낸스)'과 '테크놀로지'의 합성어인 핀테크가 이미 금융 서비스의 중심으로 부상하고 있으며 핀테크를 새로운 금융 조류로 주목하고 이를 구분 짓는 시대가 지나가리라는 것이 그의 생각이다. 핀테크가 곧 금융산업이 되는 것처럼 금융시장에서 기존 관념의 붕괴가 일어날 것으로 예상되기 때문이다.

해치 파트너는 "이미 상당수 금융기관들이 빅데이터, 모바일 결제, 블록체인가상화폐로 거래할 때 발생할 수 있는 해킹을 막는 기술과 같은 첨단 핀테크 기술을 활용하고 있다. 앞으로 더 많은 정보기술IT들이 금융 산업에 접목되고 기존 시장에서 예상하지 못했던 획기적인 변화들이 초래될 것"이라고 말했다. 또한 "금융기관들은 현재 핀테크를 활용해 어떤 서비스 부가가치를 고객에게 전달하느냐를 놓고 첨예한 경쟁에 돌입했다. 핀테크는 은행을 비롯한 기존 금융기관에도 새로운 수익을 창출하는 기회가 될 것"이라고 진단했다.

핀테크를 선호하는 고객들이 누군지 파악하고, 이들에게 적합한 새로운 상품과 서비스를 제시해 고객으로 확보하려는 전략을 발 빠르게 전개한다면 고객 유치 경쟁에서 유리한 고지를 선점할수 있다는 분석이다. 로보어드바이저를 비롯한 신개념 서비스 분야에서도 기존 금융회사들이 핀테크업체들과 활발하게 협력을 모색할 필요가 있다고 조언했다. 기존 금융회사들이 핀테크 전문기업들을 미래의 경쟁자로만 볼 것이 아니라는 게 그의 설명이다. 반면 핀테크 경쟁에 수동적으로 대처하는 은행들은 기존 고객을 빼앗길 위험에 처하고 핀테크가 미래 생존을 위협하는 요소가 될 수밖에 없다고 지적했다.

언스트앤영은 디지털 기술을 이용하는 데 능숙한 미국, 캐나다, 호주, 홍콩, 영국, 싱가포르 고객 1만여 명을 대상으로 조사한 결과 응답자 가운데 15.5%가 최근 6개월 동안 2가지 이상의 핀테크 서비스를 사용한 것으로 나타났다. 향후 1년 새 이 숫자는 2배

(약 30%)가 될 것으로 언스트앤영은 예상한다. 그만큼 핀테크 혁신이 빠르게 확산되고 있다는 의미다.

해치 파트너는 "지금까지 금융기관 고객들은 비슷한 유형의 고객군끼리 비슷한 내용의 서비스를 받았지만 앞으로는 핀테크를 통해 개별 고객마다 차별화된 서비스를 받게 될 것"이라고 전망했다. 재테크 분야에서도 금융 서비스의 고객 맞춤형 시대가 더욱 확산될 것이라는 관측이다.

고객들이 보다 정확한 금융 포트폴리오를 수립할 수 있으며 금융 거래를 할 때마다 귀찮게 정보를 기입해야 하는 것도 한결 줄어들게 될 것으로 내다봤다. 금융기관들이 개별 고객의 이해도를 높이는 '스마트 금융' 시대가 도래한다는 뜻이다. 아울러 종전에는 금융 서비스를 받지 못했던 사람들까지 다양한 금융 혜택을 볼 수 있다고 내다봤다. 해치 파트너는 "블록체인 기술은 앞으로 모든 유형의 금융 거래마다 중요한 역할을 할 것"이라며 핀테크로 인한 리스크 우려도 크게 해소될 것이라고 전망했다.

CHAPTER **03**

한국 금융의
도전과 선택

2016년
새로운 기회의 창이 열린다

　제조업에 비해 낙후된 경쟁력. 국내 시장에만 안주했던 한국 금융이 2016년을 분기점으로 새롭게 도약할 수 있는 환경 변화를 맞는다.

　인구 6억 3,000만 명(세계 3위), 국내총생산GDP 2조 7,000억 달러(약 3,253조 2,300억 원, 세계 7위)의 경제블록인 아세안경제공동체AEC가 본격 출범하면서 '갈라파고스 금융'으로 불렸던 우리나라 금융이 해외 시장에 도전할 수 있는 새로운 계기를 맞이하게 된 것이다. 신한은행과 우리은행 등 국내 금융회사들의 해외 진출이 최근 베트남과 인도네시아 등 동남아 지역에 집중되고 있는 것도 이 같은 상황과 무관하지 않다.

　AEC는 상대적으로 낙후된 인프라를 보완하기 위해 금융 분야에서 해외 금융회사들의 적극적인 진출과 협조를 기대하고 있다.

우리나라 금융 중심지인 서울 여의도 금융가를 구슬에 담아 손으로 감싸고 있는 모습을 형상화해서 찍은 사진.
사진: 이승환 기자

우리나라 금융회사들은 새롭게 부상한 아세안 시장에서 그동안 갈고 닦았던 서비스 노하우와 신뢰도를 바탕으로 먹거리 사업을 창출하는 도전에 나선다. 아시아개발은행은 2020년까지 AEC의 인프라 개발 수요 규모가 약 1조 686억 달러(약 1,248조 원)에 달할 것으로 예상한다.

우리나라에 가장 위협적인 경쟁 상대는 동남아 시장에서 강세를 보인 일본, 막강한 위안화 파워를 앞세워 글로벌 금융시장에서 신흥 강자로 부상한 중국이다. 일본과 중국의 금융회사들은

정부의 전폭적인 지원을 등에 업고 아세안 시장에서 새로운 금맥
을 캐내겠다며 야심 찬 도전에 나섰다.

우리나라 금융은 해외 시장에서 줄기차게 도전해 왔지만 글로
벌 금융시장을 좌우하는 미국계, 유럽계 금융에 밀려 아직 뚜렷
한 결실을 거두지는 못했다. 하지만 아세안 시장에서는 얼마든지
우리 금융이 약진할 수 있다. 문화 분야의 한류韓流 콘텐츠를 앞세
워 아시아 시장을 장악했던 것처럼 '금융 한류'도 불가능한 시나
리오가 아니다. 다행히도 인프라 금융을 주도했던 유럽계, 미국
계 금융회사들은 2008년 글로벌 금융위기 이후 대출 축소(디레
버리싱)를 지속하는 추세다.

2016년 국내 금융시장에서 주목할 만한 변화의 물결은 인터넷
전문은행이 탄생한다는 점이다. 신생 은행이 정부의 인가를 받고
영업에 나서는 것은 지난 1992년 이후 무려 24년 만이다. 오프라
인 영업망에 의존하지 않는 인터넷전문은행이라는 점에서 기존
금융시장에 얼마나 큰 파급 효과를 몰고 올지 주목된다.

금융 전문가들은 인터넷전문은행의 조기 정착 여부가 국내 금
융산업의 ICT 융합과 서비스 혁신을 가늠할 수 있는 시금석이 될
것으로 내다보고 있다. 2015년 말 중국에서 열린 핀테크 데모데
이에 참석했던 고승범 금융위원회 상임위원은 "우리나라는 세계
최고 수준의 ICT 강국인 만큼 제도적인 지원만 잘 뒷받침되면 글
로벌 금융시장을 선도할 수 있는 사업 모델과 서비스를 많이 개

발해 낼 것"이라고 기대했다.

　세계적으로 가장 빠른 고령화 추세 속에 퇴직연금시장은 또 다른 기회의 창으로 부상하고 있다. 국내 금융회사들이 자산운용 부문에서 새로운 수익 창출의 기회를 얻을 수 있기 때문이다. 300명 이상 사업장에 대해 퇴직연금 가입이 의무화됨에 따라 관련 시장이 크게 확대될 것으로 기대된다. 우리나라보다 앞서 퇴직연금을 도입한 호주의 경우 퇴직연금시장이 1992년 1,422억 호주달러(약 124조 3,900억 원)에서 2013년 말 1조 7,000억 호주달러(약 1,466조 5,500억 원)로 12배나 급성장했다.

　특히 인프라금융과 퇴직연금 부문에서 새로운 기회가 열리는 모습은 한국형 IB의 롤모델로 꼽히는 호주 맥쿼리그룹의 성장 배경과 유사하다는 분석도 나온다. 맥쿼리그룹은 지난 1994년 자국 호주 시장에서 인프라 민영화 프로젝트를 계기로 투자은행 자문 업무를 시작했다. 앞서 1992년 출범한 호주 퇴직연금시장이 맥쿼리의 성장에 큰 기회로 작용했다. 인프라 펀드가 퇴직연금의 주요 투자 대상이 됐고 결과적으로 맥쿼리가 고속 성장할 수 있는 밑거름이 된 것이다. 자국 시장의 투자 경험을 바탕으로 맥쿼리는 2000년대 초반 미국과 유럽 등 선진국에서 인프라산업의 민영화가 시작됐을 때 해외 사업에서 막대한 수익을 올리며 글로벌 IB로 부상하는 계기를 만들었다.

　국민연금이 세계 3대 연기금으로 성장한 것도 한국 금융에는 큰 기회다. 국민연금의 적립 자산은 2015년 6월 말 기준 무려 496조 2,000억 원에 달한다. 천문학적인 운용 규모를 지닌 덕에 국민연금 이사장이 미국 뉴욕을 방문하면 로이드 블랭크페인 골드만삭스 회장이나 세계 사모펀드 1위인 블랙스톤의 스티븐 슈워츠먼 회장 등 월가의 거물들이 앞다퉈 면담을 신청할 정도다. 국민연금이 국내 금융사와 투자 파트너를 구축할 경우 글로벌 네트워크 형성과 투자 경험 측면에서 국내 금융산업을 한 단계 업그레이드할 수 있는 계기가 될 것으로 전문가들은 기대하고 있다.

개별 회사로는 2015년 하반기 대우증권을 인수한 미래에셋이 가장 주목을 받는다. 자기자본 8조 원 규모의 매머드급 증권사로 부상하며 드디어 우리나라에서도 '금융계의 삼성전자'가 나올 수 있다는 기대감이 높아지고 있다. 글로벌 IB시장은 골드만삭스를 비롯한 미국계 회사들이 주도하고 있는 가운데 유럽 회사들이 그 뒤를 추격하고 있다. 일본의 경우 리먼브라더스의 아시아, 유럽 부문을 인수한 노무라증권을 앞세워 글로벌 IB로의 등극을 꿈꿔왔지만 아시아 금융회사라는 한계를 극복하지 못하고 있는 상황이다.

박현주 미래에셋 회장은 "이병철, 정주영 두 명의 선대회장이 삼성과 현대라는 굴지의 글로벌 기업을 만들 수 있었던 것은 당시로서는 불가능한 세상을 꿈꿨기 때문"이라며 우리나라 금융산업과 자본시장의 DNA를 바꿔 보겠다는 포부를 밝혔다.

우리나라 금융의 기초 인프라, 국민들의 금융 활용도는 세계 어느 나라와 비교해도 뒤처지지 않는다. 그만큼 희망이 크다는 의미다. 15세 이상 인구 가운데 은행계좌 보유 비율은 우리나라가 2015년 말 기준 평균 94.4%를 기록하며 세계 평균(60.7%)은 물론이고 선진국 클럽인 경제협력개발기구$_{OECD}$ 평균(94%)보다 더 높은 것으로 조사됐다. 15세 이상 인구 가운데 신용카드 이용 비중도 우리나라가 53.9%에 달해 세계 평균(15.1%)과 OECD 평균(46.7%)을 훌쩍 상회하고 있다. 인터넷을 통한 지불결제 이용 비중도 우리나라(52.5%)가 세계 평균(16.6%)보다 훨씬 높다.

이 같은 금융 인프라를 금융 개혁 조치들과 잘 접목하면 우리나라도 얼마든지 금융 강국으로 도약할 수 있고 국민소득 5만 달러 시대도 앞당겨질 수 있다. 특히 금융산업은 양질의 일자리를 만드는 부가가치가 높은 산업이라는 점에서 청년 일자리 대란에 직면해 있는 우리나라 고용시장에 새로운 활력을 불어넣어 줄 수 있다. 본 보고서는 금융 분야 전문가들의 제언을 종합해 우리나라가 금융 강국으로 도약하기 위한 5가지 어젠다를 제시한다.

Financial First Mover
5대 어젠다

1997년 외환위기 당시 우리나라 금융시장은 외국 자본에 의해 사실상 '유린'을 당했다. 국가 신용등급이 곤두박질쳤고 외국 투자자금은 "한국 시장의 펀더멘털이 불안하다"며 썰물처럼 빠져나갔다. 우리나라를 '투기 자본의 놀이터'라고 빗댄 외국 언론이 등장했을 정도였다.

이후 억대 정권은 핵심적인 국정과제 중 하나로 '금융 강국'의 기치를 내걸었고 다양한 제도 개선을 추진해 왔다. 하지만 외환위기 이후 20년이 지난 오늘날의 상황은 어떤가. 아쉽게도 대한민국은 여전히 글로벌 금융시장에서 변방에 머물러 있다.

본 보고서는 1장과 2장에서 미래 금융산업의 변화 모습, 그리고 IT 혁명이 촉발하고 있는 금융시장의 패러다임 전환을 살펴봤다. 앞으로 전개될 변화의 물결은 우리나라 금융에 사실상 마지

막 도약의 기회이다. 동시에 과거의 잘못된 관행, 낡은 규제와 낙후된 인식을 개혁하지 못하면 과거 20년처럼 글로벌 변방에 머무는 또 다른 '잃어버린 20년'을 맞이할 수도 있다.

〈매일경제〉가 미래금융 50년을 기획하며 자문을 한 금융 전문가들은 우리나라가 '금융 선도자Financial First Mover'로 도약하고 국민소득 5만 달러 시대를 앞당기려면 다음과 같은 5대 어젠다를 신속하게 이행해야 한다고 촉구했다.

아시아 시장에 금융 수출

한국의 금융산업은 수익성 악화로 고전하고 있다. 저금리 상황이 지속되면서 은행 수익의 기본으로 불리는 순이자마진NIM이 1%대로 내려갔다. 보험회사들도 돈을 굴릴 곳을 찾지 못해 고객에 지급해야 될 이자가 운용수익을 넘어서는 이른바 '역마진'에 시달리고 있다. 전문가들은 동남아시아를 중심으로 해외 사업에서 돌파구를 찾아야 한다고 권고한다. 해외 진출 확대는 우리나라 금융이 염원해 왔던 이른바 '금융의 삼성전자'를 탄생시키기 위한 필수조건이기도 하다.

수년간 잇따른 해외 진출에도 불구하고 우리나라 금융은 아직 실익이 있는 성과를 거두지 못하고 있다. 신한은행 10%, 우리은

아세안경제공동체(AEC) 출범은 동남아 인프라 시장 진출을 노리는 한국 금융에 새로운 기회다. 사진은 AEC 회원국가인 베트남의 하노이 도심 전경. 사진: 매경DB

행 17%, KEB하나은행 18%, KB국민은행 1%. 2015년 말 기준 국내 빅4 은행의 전체 순익 가운데 해외 사업 비중을 나타낸 수치다. 일본 미쓰이스미토모와 싱가포르개발은행 등 아시아 대형 은행들의 해외 사업 비중이 30%를 넘는 것과 큰 대조를 이룬다. 서정호 금융연구원 연구위원은 "국내 시장이 포화 상태고 저금리로 수익성도 둔화되고 있다. 이를 극복하려면 해외 사업에서 승부를 내야 한다"고 지적했다.

특히 인도네시아와 베트남 등 동남아 지역이 가장 유망한 금융 수출 후보지로 지목됐다. 동남아에서는 NIM이 4~5%에 달하는 국가들이 아직도 많은 것으로 파악됐다. NIM이 높다는 것은 금융회사들이 수익을 올릴 수 있는 기회가 그만큼 크다는 것을 의미한다. 홍성국 대우증권 사장은 "법인이나 지점 설립을 통한 해외 진출은 현지 문화를 습득하고 고객 인지도를 높이는 데 한계가 있고 시간도 그만큼 오래 걸린다. 현지 금융회사에 대한 과감한 M&A를 통해 더 빠르고 적극적인 해외 진출을 고려할 시점"이라고 권고했다.

서울을 핀테크 허브로

한국은 자타가 공인하는 세계 최고 수준의 IT 강국이다. 정부가 야심 차게 추진해 왔던 '금융 허브' 정책은 사실상 실패했지만 '핀테크 허브'는 얼마든지 성공할 수 있다는 의미다. 김남훈 하나금융경영연구소 연구위원은 "IT 인프라와 전자상거래 기반을 잘 갖추고 있는 만큼 미래금융을 선도하기 위해서는 스타트업 기업들이 테스트베드 역할을 할 수 있는 핀테크 허브를 육성하는 전략이 필요하다"고 촉구했다.

미국과 영국에 이어 최근에는 싱가포르와 텔아비브(이스라엘) 등 아시아 국가들도 핀테크 육성 정책에 발 벗고 나섰다. 아시아의 대표적 핀테크 허브는 싱가포르가 첫손가락에 꼽힌다. 금융허브로 쌓아 온 경쟁력과 노하우, 개방된 문화와 인프라 기반을 앞세워 차세대 금융을 선도할 핀테크 기반의 경쟁력을 높이는 데 주력한 결과다.

싱가포르가 핀테크 허브로 성장할 수 있었던 배경은 뛰어난 비즈니스 환경 이외에도 풍부한 벤처캐피털과 정부의 세제 혜택, 보조금 등 전폭적인 지원이 뒷받침됐기 때문이다. 글로벌 주요 은행의 아시아 헤드쿼터나 금융 연구소들이 현지에서 활동하고 있는 것도 핀테크 허브를 지향하는 싱가포르가 지닌 경쟁력 중 하나다. 2015년 러시아의 핀테크 전문 벤처캐피털인 라이프닷스레다는 아시아 시장에 대한 투자 확대를 위해 본부를 싱가포르로 이전하는 파격적인 조치를 단행했다.

영국 핀테크 육성 업체인 앤틱은 서울에 진출해 1,500억 원 규모의 펀드 자금을 조성한 뒤 유망한 국내 핀테크 스타트업에 투자하겠다고 밝혔다. 앤틱은 한국을 선택한 이유에 대해 "IT 기술력과 네트워크, 정부의 정책 의지 등 인프라 기반이 가장 좋았기 때문"이리고 설명했다.

우리 정부도 금융권 공동으로 핀테크 오픈 플랫폼을 구축하며 총력 지원에 나섰다. 김건우 LG경제연구원 선임연구원은 "지속적인 규제 개혁으로 금융 혁신 모멘텀이 축적되고 있다. 현재 상황에서 조금만 더 규제 물꼬를 터 주면 변화의 모멘텀을 주도할 수 있다"고 전망했다. 정유신 서강대 교수(핀테크지원센터 소장)는 "국내에서 성장한 핀테크기업을 해외로 진출시키는 것도 중요하지만 해외에서 성공한 기업들을 국내로 유치해 금융산업 전체의 경쟁과 발전을 유도할 수 있는 전략도 필요한 시점"이라고 권고했다.

자율 규제로 패러다임 전환

금융 규제는 외환위기 이후 20년 동안 단계적으로 완화돼 왔다. 미래 금융 강국 도약을 위한 최대 과제로 시대착오적 칸막이 규제, 낙하산 인사와 관치금융 해소를 꼽는 전문가들이 상당수에 달한다.

관치금융이란 정부가 금융 정책에 적극적으로 개입해 시장을 왜곡하는 행위다. 우리나라 관치금융의 뿌리는 1961년 제정된 '금융기관에 대한 임시조치법'으로 거슬러 올라간다. 당시 군사정권은 중앙은행과 금융회사들을 행정부에 예속시킨 뒤 금리 결정, 대출 배분, 예산과 인사 등 금융의 모든 부분에 직접 개입했다. 1980년대 이후 금융기관에 대한 임시조치법이 폐지되고, 시중은행의 민영화가 이루어졌다. 하지만 역대 정부는 시장 안정과 소비자 보호를 명분으로 금융 감독권과 인사 개입을 통해 시장 향배를 좌우해 왔다.

대표적인 관치금융 사례는 2015년 하반기 시행된 카드 수수료

인하를 꼽을 수 있다. 정부는 2015년 말 중소·영세 가맹점에서 받는 신용카드 수수료를 절반 수준으로 인하했다. 이에 따라 한 해 매출이 2억 원 이하인 영세 가맹점은 수수료율이 1.5%에서 0.8%로, 연매출이 2억 원 초과 3억 원 이하인 중소 가맹점은 2%에서 1.3%로 줄어들었다. 금융당국은 이 같은 조정이 2012년 제정된 여신전문금융업법에 따른 것이라고 설명했지만 실상은 정부 스스로도 '시장 왜곡'이라고 인정했을 정도다.

전문성이 부족한데도 정부 추천을 통해 금융회사 주요 보직을 맡는 이른바 '낙하산 인사' 또한 금융 강국 도약을 가로막는 개혁 대상으로 꼽힌다. 국회 정무위원회(2014년 자료)에 따르면 금융 공기업이나 이들이 출자한 금융회사 34곳의 전체 임원 268명 가운데 약 112명(42%)이 낙하산 인사로 분류됐다.

구체적으로 낙하산 인사로 분류된 사람 가운데 57명이 정부관료 출신인 이른바 관피아(모피아)였고 정피아(정치인 및 보좌관 출신)는 48명으로 전체 임원의 18%에 달했다. 윤석헌 숭실대 교수는 "어느 정도 개선되기는 했지만 낙하산 인사는 여전히 시정이 안 되고 있는 대표적인 악폐다. 금융 개혁이 성공하려면 정부 스스로 변한다는 신호를 시장에 확실하게 전달해야 한다"고 촉구했다. 이상빈 한양대 교수는 "선진국 추세에 맞춰 우리도 금융 규제를 네거티브 시스템으로 바꾸고 자율성을 최대한 보장해 줘야 글로벌 금융 경쟁력을 갖출 수 있다"고 권고했다.

대마불사·순혈주의 추방

G20 산하 금융안정위원회FSB는 대형 금융회사가 파산할 경우에 대비해 위험가중자산의 손실 흡수력을 확대하는 방안을 추진하고 있다. 글로벌 대형 은행이 파산할 때 주주나 투자자의 손실 부담을 늘려 결과적으로 국민 혈세인 공적자금이 투입되는 것을 막겠다는 취지다.

이에 비해 국내 금융회사들은 여전히 대마불사 관행으로 인한 모럴해저드가 팽배해 있다는 지적을 받는다. '관치금융'보다 더 심각한 문제가 '방만경영'이라는 지적이 나올 정도다. 그동안 금융권에서 M&A는 활발하게 이루어져 왔지만 과거 회사의 인맥을 중시하는 순혈주의 풍토 때문에 화학적 통합은 제대로 이뤄지지 않았다. 인수와 통합에 따른 시너지 효과를 살리지 못하는 회사들이 적지 않은 것도 이 같은 이유에서다.

설문조사기관인 나이스알앤씨가 2015년 전국 20세부터 64세 사이의 금융거래 소비자 2만 189명을 상대로 조사한 결과 은행 불만사항 가운데 1위로 금융상품(28.1%)이 꼽혔다. 고객응대가 불친절했다는 의견도 23.1%에 달했다. 은행에서 서비스를 받아본 고객 4명 중 1명이 불만을 느꼈다는 얘기다.

이 같은 소비자 인식은 은행 중심의 독점적인 금융산업 구조와도 무관하지 않다. 금융감독원 통계에 따르면 지난 2014년 은행

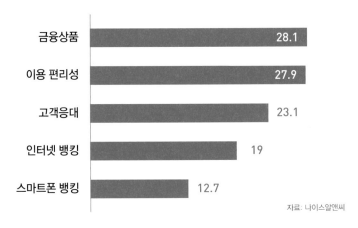

은행을 이용하면서 최근 1년간 다음 부분에 대해서 '불만'을 경험한 적이 있나

(단위: %)

금융상품	28.1
이용 편리성	27.9
고객응대	23.1
인터넷 뱅킹	19
스마트폰 뱅킹	12.7

자료: 나이스알앤씨

권이 벌어들인 순이익은 6조 8,436억 원이었다. 이는 전체 금융권에서 벌어들인 순이익(10조 3,580억 원)의 약 66%에 달하는 규모다. 은행이 전체 금융권 순이익에서 차지하는 비중은 2009년 41.6%였는데 해마다 은행 쏠림 현상이 심해진 결과다.

이필상 서울대 초빙교수는 "우리나라 금융산업을 보면 대형 금융지주회사 중심의 독점적인 구조다. 이런 상황에서는 인터넷전문은행을 도입해 새로운 변화를 주더라도 제대로 위상을 차지하며 금융 혁신을 이끌기 어렵다"고 밝혔다. 고대진 IBK경제연구소장은 "금융권에도 성과주의 제도를 확산시켜야 경쟁력을 높일 수 있다. 단기 업적에 집중한 성과주의가 아니라 업무 배분과 평가,

책임 소재를 명확하게 제도화한 중장기적 플랜이 필요하다"고 지적했다.

파이낸셜 리터러시 제도화

금융 분야에 대한 지식과 국민들의 의식 수준을 높이는 '파이낸셜 리터러시Financial Literacy'는 미래 금융 강국으로 도약하기 위한 필수 과제다. 금융상품 수요자들인 소비자들이 먼저 변해야 금융이 바뀔 수 있기 때문이다. 소비자들의 인식을 선진국 수준으로 전환하기 위해서는 청소년 시절부터 합리적인 금융 교육이 필수적이다.

현재 우리나라의 금융 교육은 초·중·고생 1인당 연평균 3시간, 총 교육 시간의 0.4% 미만에 머물고 있다. 교육부는 2018년부터 고교 필수과목인 통합사회 과목을 신설해 9개 단원 중 하나로 '시장경제와 금융'을 포함시킬 계획이다.

하지만 중앙정부나 주정부 주도로 금융 교육을 학교 정규과목으로 시행하고 있는 미국과 영국 등 금융 선진국에 비해서 국내 금융 교육은 턱없이 부족하다는 지적이 나온다. 미국의 경우 정부 주도로 민간기구의 자발적인 참여에 힘입어 매우 적극적인 금융문맹퇴치 운동을 진행하고 있다. 43개 주가 교육과정에 금융 교육을 포함시켰을 정도다. 영국 역시 정부 주도로 지난 2007년부터 금융 교육을 학교 정규과목으로 편성한 데 이어 2014년 9월부터 11~16세 학생에 대해 금융 교육을 의무화하는 조치를 시행중이다.

일본은 중앙은행 산하에 금융홍보중앙위원회를 설치하고 청소년들이 경제금융에 익숙해질 수 있도록 홍보와 교육을 강화하고 있다. 일본은 2017년부터 미성년자가 주식 투자를 하면 연간 80만 엔(약 815만 원)까지 세금을 면제해 주는 '주니어NISA' 제도를 도입한다. 성인이 되기 전부터 주식시장의 기본 원리를 습득하고 투자에 대한 기본 지식을 얻게 만들어 주는 제도적 기반을 구축한 것이다.

우리나라에서는 지난 2011년 7만 2,322건에 달했던 금융 관련 민원건수가 2014년 7만 8,631건으로 오히려 8.7% 증가했다. 금융회사들의 불완전판매도 문제지만 이것저것 찔러보는 국민들의 잘못된 인식도 민원이 늘어나는 데 큰 원인이라는 분석이 나온다.

일선 금융회사 관계자들은 "금융상품이나 서비스와 관련해 다짜고짜 욕설을 하거나 금융당국에 고발하겠다고 협박하는 이른바 블랙컨슈머Black Consumer들 때문에 정상 영업에 차질을 빚은 적이 많았다"고 하소연한다. 블랙컨슈머란 부당한 이익을 취하기 위해 제품을 구매한 후 고의적으로 악성 민원을 제기하는 소비자를 의

미하는 용어다.

투자에 대한 책임을 금융당국이나 금융회사로 미루는 소비자들의 잘못된 인식도 개선해야 할 과제로 꼽힌다. 특히 금융상품이 무조건 원금을 지켜 주는 것이라고 간주하는 소비자들의 인식은 앞으로 바뀌어야 한다고 전문가들은 입을 모은다.

이채원 한국투자밸류자산운용 부사장은 "돈을 벌기 위해서는 위험을 감수해야 한다는 의식의 전환이 필요하며 금융당국도 투자 위험에 대해 금융 교육을 명확하게 할 필요가 있다"고 권고했다. 이종우 IBK투자증권 센터장은 "투자에 대한 최종 결정은 본인이 스스로 하고 책임도 자신이 져야 한다는 생각을 가져야 한다. 이를 위해 금융회사와 정부가 지속적으로 소비자들의 의식을 개선하는 노력을 기울여야 한다"고 지적했다.

금융권 CEO 100명이 내다본 미래금융

우리나라가 미래의 금융 분야 선도국가Financial First Mover로 도약하기 위해서는 금융산업을 현장에서 이끌고 있는 CEO들의 결단과 혜안이 필요하다. 그렇다면 금융권을 이끄는 우리나라 CEO들은 미래 금융시장의 변화와 전망을 어떻게 내다보고 있을까. 또 어떤 대비책과 전략을 수립하고 있을까.

〈매일경제〉는 2016년 창간 50주년을 맞아 은행, 보험, 증권, 자산운용 등 금융권 CEO 100명을 대상으로 설문조사(1월 4~8일)를 실시했다. 조사 결과 응답자 2명 가운데 1명꼴인 48%가 전통적인 오프라인 금융이 앞으로 P2P와 온라인 플랫폼 등 핀테크발 금융 서비스로 대체될 것으로 내다봤다.

프라이빗뱅킹 등 일부 분야를 제외하고 '대부분 대체될 것'이라고 응답한 CEO들이 43%에 달했고 '완전히 대체될 것'이라고 응

핀테크기업이 기존 금융을 얼마나 대체할까?

(단위: %)

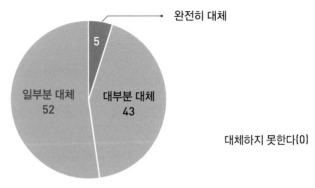

완전히 대체

일부분 대체
52

대부분 대체
43

대체하지 못한다(0)

5년 후 비금융회사가 금융회사의 수익을 얼마나 잠식할까?

(단위: %)

50% 이상	7
30~50%	15
10~30%	45
10% 미만	33

핀테크혁명으로 가장 타격을 입을 분야는?

(단위: %)

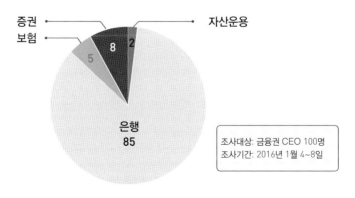

증권
보험

자산운용

8
5
2

은행
85

조사대상: 금융권 CEO 100명
조사기간: 2016년 1월 4~8일

답한 CEO도 5%로 조사됐다. '핀테크기업이 기존 금융을 일부 대체할 것'이라는 응답은 52%였으며 '전혀 대체하지 못할 것'이라고 응답한 사람은 1명도 없었다.

온라인 개방형 플랫폼을 앞세워 유통과 통신 등 비금융회사의 금융시장 잠식이 가속화되고 있는 가운데 앞으로 수익성 악화에 대한 우려가 갈수록 커질 것으로 조사됐다. 설문조사 결과 5년 뒤 기존 금융회사의 수익이 비금융사들과의 경쟁으로 '30% 이상 줄어들 것'이라고 응답한 CEO가 22%에 달했다. '10~30% 줄어들 것'이라고 응답한 CEO들이 45%에 달하는 것을 감안하면 CEO들 10명 가운데 약 7명이 5년 이내 금융회사 수익이 10% 이상 감소할 것이라고 예상하고 있는 셈이다.

위기의식의 정도는 금융업권별로 비교적 큰 차이를 보였다. 조사 대상 CEO들은 핀테크발 금융 혁신으로 가장 큰 타격을 받을 곳으로 압도적으로 은행(85%)을 꼽았다. 반면 증권(8%)이나 보험(5%), 자산운용(2%)을 꼽은 CEO는 상대적으로 많지 않았다. 은행들이 가장 큰 타격을 받을 것이라는 응답은 고객이 직접 이용하는 빈도가 잦은 서비스일수록 핀테크 전문 기업이 침투할 가능성이 더욱 커지고, 여수신과 송금·결제 등 은행들의 기존 업무들이 대부분 온라인 플랫폼을 통해 소화될 수 있기 때문인 것으로 풀이된다. 본 보고서가 1장과 2장에서 자세하게 전망한 미래 금융의 변화 모습, 글로벌 시장에서 현재 진행 중인 패러다임 변화와 상당 부분 일치하는 조사 결과다.

금융권 CEO들 가운데 절반 이상(56%)이 미래에 가장 위협적인 경쟁 상대로 모바일·플랫폼 네트워크를 갖춘 핀테크기업을 지목했다. 국내 시장에서도 이미 카카오가 플랫폼 파워(누적 가입자 수 1억 8,000만 명)를 앞세워 카카오페이 간편결제와 뱅크월렛카카오를 선보였고, 2016년 하반기부터 인터넷전문은행이 출범하기로 예정돼 있어 금융권에 새로운 판도 변화를 예고한 상태다.

미래에 가장 위협적인 상대를 묻는 질문에 대해 응답자 중 26%는 지급결제(페이) 서비스를 앞세워 금융 잠식에 나선 구글과 애플이나 삼성 등 IT기업을 지목했고, 알리바바와 같은 전자상거래·유통기업(10%), 통신회사(5%) 등이 그 뒤를 이었다. 중국 알리바바의 경우 전자상거래기업으로 출발했지만 2004년 알리페이를 출시한 이후 최근 10년 동안 지급결제(알리페이), 온라인 대출(알리바바파이낸셜), 투자(위어바오), 보험(중안온라인보험), 은행(인터넷은행)으로 금융 서비스를 계속 진화시키며 빠른 속도로 기존 금융시장을 잠식하고 있다.

금융 규제나 낙하산 인사 등 제도적 문제도 심각하지만 금융회사 스스로 퍼스트 무버First Mover로 변신하지 않으면 글로벌 시장 변화에서 도태될 수 있다는 우려도 제기됐다. 금융권 CEO들은 미래 경쟁력을 좌우할 핵심 요소로 IT 기술에 바탕을 둔 고객 편의성 제고(38%)를 가장 많이 지목했고 자산관리 전문성 강화

미래 금융회사들의 가장 위협적인 경쟁 상대는?

(단위: %)

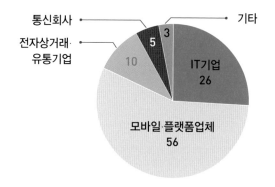

미래 금융회사들의 핵심적인 경쟁력은?

(단위: %)

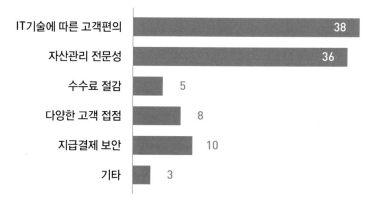

(36%), 지급결제 보안체제(10%), 다양한 고객 접점 구축(8%) 등
이 뒤를 이었다. 미래 금융산업을 주도하기 위한 선결 과제로는
과감한 구조 개혁(51%), IT 기술 발전(25%), 금융회사들의 인식
변화(20%), 소비자들의 인식 변화(4%) 등이 꼽혔다.

우리나라의 현재 핀테크 기술 수준은 선진국에 비해 다소 뒤져 있지만 앞으로 비슷해질 것이라는 낙관적인 응답이 65%에 달했다. 반면 선진국과의 격차를 좁히지 못할 것(14%)이라는 응답은 소수에 머물렀다. 우리나라가 세계적 수준의 경쟁력을 지닌 IT 강국인 만큼 과감한 구조개혁과 규제 완화, 금융회사와 소비자들의 인식 변화만 잘 뒷받침되면 얼마든지 미래 금융시장을 선도할 수 있다는 자신감으로도 해석할 수 있다. 변화의 물결을 뒤따라가기만 해서는 약육강식의 글로벌 시대, 시시각각 변하는 초경쟁 시대에 승자로 부상할 수 없다. 미래 도약을 위한 한국 금융의 새로운 도전은 이미 시작됐다.

| CEO 설문조사에 답신해 준 기업 명단 |

경남은행, 공무원연금공단, 교보생명, 교보증권, 교직원공제회, 군인공제회, 그로쓰힐자산운용, 기업은행, 대구은행, 대신증권, 동부저축은행, 동부증권, 라임자산운용, 롯데손해보험, 롯데카드, 메리츠증권, 메리츠화재, 미래에셋자산운용, 미래에셋증권, 미소금융중앙재단, 부산은행, 브레인자산운용, 사학연금재단, 산업은행, 삼성자산운용, 삼성증권, 삼성카드, 삼성화재, 새마을금고중앙회, 수출입은행, 수협은행, 신영자산운용, 신용회복위원회, 신한금융투자, 신한카드, 써미트자문, 씨티은행, 아주저축은행, 아주캐피탈, 안다인베스트먼트파트너스, 에셋플러스자산운용, 우리은행, 우리카드, 웰컴저축은행, 유안타증권, 유진투자증권, 이베스트투자증권, 코스콤, 쿼드자산운용, 쿼터백투자자문, 키움증권, 키움투자자산운용, 타임폴리오투자자문, 트러스톤자산운용, HK저축은행, HMC투자증권, IBK투자증권, ING생명, JB금융지주, JT친애저축은행, JT캐피탈, KB금융지주, KB데이터시스템, KB생명보험, KB손해보험, KB신용정보, KB인베스트먼트, KB자산운용, KB저축은행, KB캐피탈, KB투자증권, KDB자산운용, KEB하나은행, KTB투자증권, NH생명, NH투자증권, OK저축은행, SBI저축은행, SC제일은행, SK증권, VIP투자자문(이상 가나다 · 알파벳순)

금융 전문가의 전망과 제언

**"금융 인재 양성 위해
보상 체계 확립이 필수적"**

전광우 연세대 석좌교수(前 금융위원장)

    2016년 새해가 밝았지만 한국 경제에 희망이 보이지 않는다. 미국의 금리 인상에 이어 중국 경기 침체 한파가 밀어닥치고 있고 국내 시장은 해운, 조선, 철강, 석유화학 등 취약산업의 구조조정이 초읽기에 내몰리고 있다. 정부 부채는 1,000조 원으로 불어나 정책 수단의 여력을 떨어트리고 경제활성화법과 4대 개혁법 등 경제위기를 구원할 법안들은 국회에서 여전히 난항을 겪고 있다.

    위기의 한국 경제에 활력을 불어넣을 곳은 돈줄 역할을 하는 금융산업뿐이다. 하지만 현실은 어떤가. 한국 금융은 3년간 전체 금융권 인력의 10% 이상에 해당하는 약 10만 명의 인력이 사라질 정도로 자리를 잡지 못하고 있다. 금융계를 잘 알고 있는 한 인사는 "금융을 하나의 산업으로 보지 않고 다른 산업을 도와주는 역할로 생각하면서 제대로 육성하지 않는 당국도 문제가 있고, 핀테크를 비롯한 금융 패러다임은 시시각각 변하는데 인력 양성을 등한시하고 있는 금융업계도 전반적으로 문제가 있는 것 같다"고 꼬집는다.

금융은 결국에는 사람이 하는 산업이다. 이 때문에 금융 인력 양성의 중요한 역할을 할 수 있는 인사보상 시스템 확립이 무엇보다 중요한 상황이다. 최고경영진을 비롯해 그 아래까지 전문성을 가진 인사들이 내려오기 위해서는 보상 체계 확립이 필수이다. 하지만 아직까지 국내에서는 노조 등 기득권 세력의 반발로 모든 금융권으로의 확산이 요원한 상태다.

해외에서의 금융 인력 양성은 어떨까. 일단 국내와 달리 금융사들의 최고 의사결정 층인 CEO 선임에서부터 시작해 자율적으로 전문성 있는 인사들을 영입한다. 아시아 대표 은행 중 하나인 오스트레일리아뉴질랜드은행ANZ의 경우 철저하게 이사회에서 CEO 선정을 결정한다. ANZ 관계자는 "최고경영자 결정 과정에서 정부의 입김은 상상할 수도 없다. 혹시라도 부정이 있을 경우 언론이나 시민단체에서 가만히 있지 않는다"고 말한다. 최고경영진들의 보수에 대해서는 주주보고서를 통해 상세한 내역을 공개하는 등 투명성 강화에도 주력하고 있다.

세계 최고 금융그룹 중 하나인 미국 씨티그룹은 '핵심인재검토_{Talent Review}'라는 프로그램을 운영한다. 매년 세계적으로 핵심인재 평가를 지속적, 체계적으로 운영하며 차세대 리더십을 개발하고 있다. 매년 3월께 각국에서 시작되는 핵심인재검토 절차는 관리자들이 씨티그룹의 부문별 미래 후계 자원들을 파악하고 선별한 후, 경영진에 추천한 이들을 대상으로 리더십 교육을 통해 미래 지도자로 육성하는 과정으로 진행된다. 핵심인재검토를 통해 CEO를 비롯한 미래 최고경영자 후보군을 발굴하고 이들을 체계적으로 육성함으로써 안정적으로 경영승계가 가능하도록 지원하는 것이다.

영국 대형 은행인 바클레이즈도 신입사원 양성과 성과주의를 정교하게 시행하고 있다. 고준흠 바클레이즈 서울지점 대표는 "매년 2월 인센티브를 결정하는데 한국 금융회사들과 달리 개인 평가를 철저히 하고 있다. 신입사원의 경우 런던에서 모여 2~3개월 동안 교육을 하고 입사 후 1년 동안 교육하며 이를 바탕으로 글로벌 랭킹이 나온다. 이 순위는 회사에서 활동하는 기간 동안 계속 따라 다닌다"고 소개했다.

금융 선진화를 위해서는 금융회사들의 인재 양성뿐만 아니라 일반 국민들의 금융 교육 수준도 높아야 한다. 하지만 한국의 현실은 만만치 않다. 청소년금융교육협의회에 따르면 우리나라의 금융 교육 시간은 초·중·고 학생 1인당 연평균 3시간이다. 이를 전체 학교의 교육 시간으로 따져 보면 0.4%에 불과하다.

금융산업의 지속적인 발전을 위해서는 미래의 금융 소비자인 청소년들에게 일관된 정책하에 체계적인 교육을 하는 것이 무엇보다 중요하다. 국내 금융 교육은 아직까지 걸음마 수준이다. 교육부는 오는 2018년부터 고교 필수과목인 '통합사회'를 신설해 9개의 대단원 가운데 하나로 '시장경제와 금융' 교육을 할 계획이라고 밝혔다. 하지만 대학수학능력시험에 출제되는 금융 관련 문제가 1~2개에 불과할 것이라는 예상이 나온다. 금융 교육에 대한 중요성을 인식한 것은 다행이지만 출제 비중은 극히 미미한 수준이 될 것으로 보인다.

금융 소비자들인 일반 국민들에 대한 교육도 시급한 실정이다. 대학을 졸업한 뒤 취업을 하더라도 재테크를 비롯한 금융 교육을 제대로 받는 사람들은 손에 꼽힐 정도다. 투자 손실이 나기만 하면 금융회사들을 탓하고 보험료의 경우 일단 사고가 나면 최대한 받아 내려고 '꼼수'를 쓰는 등 잘못된 국민의식도 금융 교육의 부재에서 그 원인을 찾을 수 있다.

고령층을 비롯한 정보 취약계층에 대한 금융사기가 빈번하게 늘고 있는 것도 철저한 교육을 통해 막을 필요가 있다. 금융감독원이 2015년 말 사기전화 피해자 분석을 한 결과에 따르면 피해자 남성 중 60대 이상이 24.1%로 가장 많은 비중을 차지했다. 금융 교육이 평생 필요한 이유를 잘 말해 주는 사례다.

자산 500조 원을 돌파한 국민연금의 자산운용 역량을 강화하

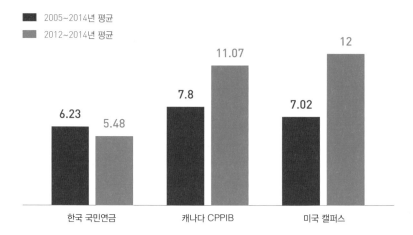

주요 국가 국민연금 운용수익률　　　　　　　　　　　　　　　(단위: %)

■ 2005~2014년 평균
■ 2012~2014년 평균

한국 국민연금　6.23　5.48
캐나다 CPPIB　7.8　11.07
미국 캘퍼스　7.02　12

자료: 한국보건사회연구원

는 것도 우리나라 금융 경쟁력 선진화의 핵심 요소 중 하나다. 한
국보건사회연구원에 따르면 2014년 기준 국민연금 투자자산 중
해외 투자 비중은 21.9%에 달했다. 급증하는 자산 규모에 비해
아직까지는 해외 투자 비중이 작은 편이다. 국내 기관들 중에 가
장 규모가 큰 국민연금이 해외 투자 리더십을 보여야 하고, 해외
투자 성공의 기폭제 역할을 할 수 있다는 점에서 이를 확대할 필
요성은 충분하다.

국민연금의 해외 투자 비중을 늘리기 위해서는 무엇보다 기금
운용본부의 독립성 보장이 우선돼야 한다. 이를 위해서는 기금운
용본부의 공사화를 포함한 조직 개편에 대해 숙고하고 합리적인

대안을 찾아야 한다.

국민연금 내부의 우수인력 확보 노력도 꾸준히 지속해야 한다. 한국보건사회연구원에 따르면 세계 주요 연기금인 캐나다 연금 펀드CPPIB의 1인당 운용자산은 2,000억 원, 미국 캘리포니아 공무원퇴직연금CalPERS, 캘퍼스은 9,000억 원인 데 비해 우리나라 국민연금은 2조 2,000억 원에 달한다. 이는 우리나라 국민연금의 자산 운용 전문화가 상대적으로 부진하다는 것을 의미한다. 모든 국민들이 우려하고 있는 국민연금의 기금 고갈을 막기 위해서도 우수한 운용 인력을 꾸준히 영입해야 한다.

"핀테크 기술이 중앙은행의 모습도 바꾼다"

황영기 금융투자협회장

한국 금융산업에 지각변동이 나타나고 있다. 진원지는 금융산업 내부가 아니라 빅데이터와 블록체인 등 정보기술IT이다. 전통적 금융회사가 독점해 온 예금, 대출, 송금, 결제 등 대부분의 금융 영역에서 온라인과 모바일 기술에 의해 파괴적 혁신Disruptive Innovation이 일어나고 있다. 과거와 같은 형태의 은행은 10~20년 후에는 사라지거나 모습을 알아보지 못할 정도로 변해 있을 것이다.

특히 블록체인 기술 발전은 중앙은행의 위상마저 흔들 정도로 파괴적이다. 블록체인은 여러 이용자가 거래 정보를 공동으로 인증하고 보관하는 보안 기술이다. 이 블록체인을 활용해 발행되는 가상화폐가 바로 비트코인Bitcoin이다. 블록체인은 과거 중앙집중형 거래정보 관리 시스템에서 대용량 서버나 데이터센터 등 대

규모 투자를 필요로 한 것과 달리 데이터 등록, 거래 기록 보관 등 데이터 관리비용을 획기적으로 낮출 수 있다. 인터넷에 연결된 수많은 컴퓨터에 데이터가 공유, 분산, 저장되는 형태이기 때문이다.

보안 면에서도 유리하다. 중앙집중형 결제 네트워크인 경우, 해커가 금융기관의 중앙서버에 침투하기만 하면 금융 정보 해킹이 가능했다. 그러나 블록체인 방식은 여러 사용자들에게 데이터가 분산 저장돼 있어 단시간 내 해킹이 사실상 불가능하다. 은행끼리 연결해서 그 자체가 결제망이 되는 기술도 나와 있으며 이 기술이 상용화되면 중앙은행의 모습은 크게 달라질 전망이다.

블록체인 기술은 자본시장의 인프라 측면에서 큰 변혁을 가져올 것이다. 미국 나스닥은 2015년 말 블록체인에 기반을 둔 장외시장 거래 플랫폼을 도입했다. 블록체인에 기반을 둔 플랫폼에서는 거래 성립부터 증권 결제까지 걸리는 시간이 종전 2~3일에서 10분 내외로 크게 단축된다. 외국 언론에 따르면 JP모건체이스는 블록체인 등의 기반 구축에 90억 달러(약 10조 8,000억 원)를 투자할 계획이다.

보험산업의 경우 보험 상품 설계와 자산운용, 리스크 관리 등 전통적 분야는 여전히 전문 인력이 수행하겠지만 판매와 사후관리는 상당 부분 온라인으로 대체될 가능성이 높아 보인다. 우리나라에서도 이미 여러 회사의 보험 상품을 비교해 검색하는 온라

블록체인 기술을 활용한 가상화폐인 비트코인이 국내에 도입되면서 화폐유통 시장에도 새로운 변화가 예상된
다. 비트코인은 전 세계 670개에 달하는 디지털 가상화폐 가운데 약 90%에 달하는 압도적인 점유율을 유지하
고 있다.   사진: 매경DB

인 보험 슈퍼마켓인 '보험 다모아' 사이트가 탄생했고 펀드 분야
에서도 비슷한 구조를 지닌 '펀드온라인코리아'가 등장해 온라인
판매를 이끌고 있다.

　은행들에 높은 수익을 가져다주는 국제송금 서비스에서도 송금
절차를 혁신적으로 바꾼 트랜스퍼와이즈 같은 신규 업체가 등장
했다. A국과 B국 사이에서 현금을 주고받을 일이 있을 때 A국에
서 현금을 보낼 사람과 현금을 받을 사람을 연결하고 B국에서 현
금을 보낼 사람과 현금을 받을 사람을 연결하는 방식이다. 이 방식
을 활용하면 실제 A국과 B국 사이에서 움직이는 자금 규모는 최
소화된다. 국제송금 수수료는 기존의 10분의 1이면 충분하다.

이 같은 혁신은 현재 우리나라에서 일어나기 어렵다. 모바일 차량 예약 서비스인 우버와 마찬가지로 트랜스퍼와이즈 방식이 국내법상 불법이기 때문이다. 하지만 앞으로 외환 거래에 대한 규제가 완화될 경우 국내 은행산업은 핀테크기업으로부터 강한 위협을 받을 것으로 보인다. 이처럼 온라인을 통한 대출과 송금산업이 커지게 된 것은 전통적인 금융 거래기록 이외에 개인의 소셜네트워크서비스SNS와 전자상거래 기록 등을 분석하는 빅데이터 기반 신용평가 기술이 눈부시게 발전했기 때문이다.

자산관리 분야에서는 인공지능에 기반을 둔 로보어드바이저가 최근 화두다. 로보어드바이저의 경쟁력은 무엇보다 저렴한 수수료다. 다만 자산관리 분야에서 컴퓨터가 사람을 대체할 여지는 상대적으로 적다. 알고리즘의 한계 때문이다. 투자 판단과 관련된 알고리즘은 체스나 바둑에서의 경우의 수보다 더 복잡한 데다 산업의 흐름 자체가 알고리즘을 만드는 인간이 예측하는 것보다 더 빨리 바뀐다. 투자 판단에 필요한 변수가 워낙 많은데 변수 자체도 계속 변하는 것이다. 그럼에도 펀드의 기대수익률이 10%가 넘던 과거와 비교하면 크게 낮아진 지금은 수수료에 대한 부담이 더 늘었다. 저렴한 수수료가 그만큼 경쟁력이 강한 무기가 될 여지가 커졌다는 의미다.

금융투자업계는 온라인화와 로보어드바이저 확대가 수수료 절감 압력으로 계속 작용할 것으로 보고 대비를 서두르고 있다. 어떤 금융산업이든 혁명의 흐름에서 낙오하면 치명상을 입을 것이다. 결국은 전문 인력이 하지 않으면 안 되는 일을 찾아내고, 그 부분의 전문성을 강화하고 차별화할 수 있는 길을 모색해야 살아남을 수 있다.

이 과제를 해결하지 못하거나 언제든 대체 가능한 그렇고 그런 상품과 서비스를 판매하는 업종과 회사는 생존이 어려울 것이다. 음악저장매체가 LP에서 CD를 거쳐 MP3로 급속히 변하면서 많은 레코드 제조회사들이 시장에서 사라졌다. 코닥, 후지, 아그파 등 필름 생산업체들은 디지털카메라가 대중화되면서 순식간에 역사의 뒤편으로 밀려났다. 제조업에서 일어났던 바로 그 파괴적 혁신이 미래 금융산업을 뒤흔들 것이다. 그리고 이미 혁신은 시작됐다.

<미래경제보고서> 금융 자문단(가나다순)

고대진 IBK경제연구소장

권오신 금융결제원 선임연구역

김건우 LG경제연구원 선임연구원

김동우 KB경영연구소 연구위원

김준호 한국미래연구원 연구위원

박강희 IBK경제연구소 연구위원

박수용 서강대 교수

박영숙 유엔미래포럼 대표

배현기 하나금융경영연구소장

서병호 한국금융연구원 연구위원

서정호 한국금융연구원 은행보험연구실장

신인석 자본시장연구원장

오무영 금융투자협회 본부장

윤석헌 숭실대 교수

이상빈 한양대 교수

이원부 동국대 교수

이종우 IBK투자증권 리서치센터장

이채원 한국투자밸류자산운용 부사장

전광우 연세대 석좌교수

정명희 금융경제연구소 정책실장

정유신 핀테크지원센터 소장

주재성 전 우리금융경영연구소 대표

최공필 금융연구원 상임자문위원

하성근 한국은행 금융통화위원

허정윤 국민대 교수

홍봉성 라이나생명보험 사장

홍성국 대우증권 사장

황영기 금융투자협회장

대한민국 미래경제보고서

금융의 미래

초판 1쇄 2016년 3월 25일
　　2쇄 2016년 7월 15일

지은이 매일경제 미래경제보고서팀
펴낸이 전호림 **편집3팀장 및 담당PD** 고원상 **펴낸곳** 매경출판㈜
등　록 2003년 4월 24일(No. 2 – 3759)
주　소 우)04557 서울시 중구 충무로 2(필동1가) 매일경제 별관 2층 매경출판㈜
홈페이지 www.mkbook.co.kr
전　화 02)2000 – 2610(기획편집) 02)2000 – 2636(마케팅) 02)2000 – 2606(구입 문의)
팩　스 02)2000 – 2609 **이메일** publish@mk.co.kr
인쇄 · 제본 ㈜M – print 031)8071 – 0961

ISBN 979 – 11 – 5542 – 421 – 6(03320)
　　　979 – 11 – 5542 – 424 – 7(SET)
값 8,000원